Access 2007

Copyright

© 2007 Micro Application
20-22, rue des Petits-Hôtels
75010 PARIS

2e Edition - Avril 2007

Auteur

Céline LOOS SPARFEL

ISBN : 978-2-7429-6854-1

Couverture réalisée par Room22

MICRO APPLICATION
20-22, rue des Petits-Hôtels
75010 PARIS
Tél. : 01 53 34 20 20
Fax : 01 53 24 20 00
http://www.microapp.com

Support technique
Également disponible sur
www.microapp.com

Retrouvez des informations sur cet ouvrage !

Rendez-vous sur le site Internet de Micro Application **www.microapp.com**. Dans le module de recherche, sur la page d'accueil du site, entrez la référence à 4 chiffres indiquée sur le présent livre. Vous accédez directement à sa fiche produit.

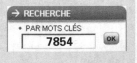

Avant-propos

Cette collection fournit des connaissances essentielles sur un sujet donné sans jamais s'éloigner de leur application pratique. Les volumes de la collection sont basés sur une structure identique :

■ Les puces introduisent une énumération ou des solutions alternatives.

1. La numération accompagne chaque étape d'une technique.

 Il s'agit d'informations supplémentaires relatives au sujet traité.

 Met l'accent sur un point important, souvent d'ordre technique, qu'il ne faut négliger à aucun prix.

 Propose conseils et trucs pratiques.

Conventions typographiques

Afin de faciliter la compréhension des techniques décrites, nous avons adopté les conventions typographiques suivantes :

■ **Gras** : menu, commande, boîte de dialogue, bouton, onglet.
■ *Italique* : zone de texte, liste déroulante, case à cocher, bouton radio.
■ `Police bâton` : touche, instruction, listing, texte à saisir.
■ ✂ : indique un retour ligne volontaire dû aux contraintes de la mise en page.

5 Créer et gérer des états 261

1

Découverte de l'environnement Microsoft Access 2007

1.1 Définition d'une base de données

Une base de données permet de centraliser, stocker, rechercher, supprimer ou consulter tout type d'informations. C'est un ensemble organisé d'informations traitant d'un même sujet.

Un système de gestion de bases de données relationnelles (SGBDR) est une base de données dans laquelle sont créées plusieurs tables distinctes, liées les unes aux autres. Ces relations facilitent l'extraction de données provenant de différentes tables et la production de rapports complexes.

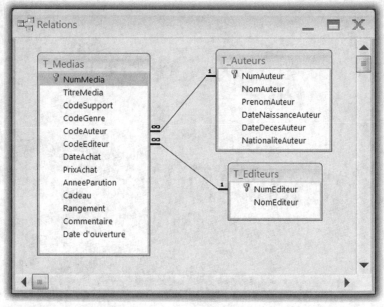

▲ Figure 1.1 : *Exemple de relations sous Access*

Les principaux avantages d'une base de données sont :

■ L'élimination des redondances d'informations. Une donnée est stockée une fois. Les seules données saisies en plusieurs exemplaires sont les données nécessaires pour établir les liens entre les tables.

- La facilitation des mises à jour. En effet, il n'est plus utile de saisir la même information dans plusieurs fichiers, comme c'est le cas avec Excel ou Word. Cela réduit le temps passé à la saisie et les risques d'erreurs.

Microsoft Access 2007 est un logiciel appartenant à la famille des SGBDR. En fait, c'est un outil de développement de base de données très complet. Avec un peu d'effort et de pratique, il est relativement simple d'emploi. Une base de données Access porte désormais l'extension *.accdb*. Pour les utilisateurs des versions antérieures d'Access, notez que cette nouvelle extension remplace l'ancienne extension *.mdb*. Toutefois, Access 2007 prend toujours en charge les bases de données créées avec les versions précédentes.

Access peut être employé pour gérer votre carnet d'adresses, vos rendez-vous, vos collections de livres, cassettes, CD ou DVD, votre facturation, votre budget personnel, votre club de tennis, etc. Que ce soit dans le domaine personnel ou professionnel, c'est l'outil idéal pour satisfaire vos besoins en matière de gestion d'informations.

Il vous reste maintenant à faire connaissance avec les très nombreuses possibilités de cet outil afin de l'utiliser de façon optimale.

1.2 Composantes d'Access

Microsoft Access 2007 est composé de six objets que nous allons décrire dans cette section.

Les tables

Une table est le lieu de stockage de toutes les informations (ou données) saisies concernant un sujet particulier tel que des clients ou un catalogue de produits. Elle est constituée d'enregistrements, eux-mêmes décomposés en champs. Chaque champ contient une information précise correspondant à l'enregistrement (voir Figure 1.2).

Par exemple, un enregistrement renferme l'ensemble des renseignements concernant un client. Un champ contient une information sur le client comme son nom, adresse, numéro de téléphone, etc.

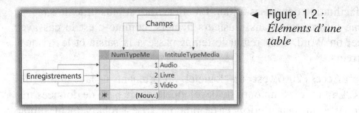

◄ Figure 1.2 :
*Éléments d'une
table*

Pensez également à décomposer au maximum un champ. Par exemple, un champ *Adresse* doit être divisé en plusieurs champs : un champ *Rue*, un champ *Code postal* et un champ *Ville*. Ceci permettra de réaliser, par la suite, des traitements sur chacun des champs. On dit que l'on manipule alors des données élémentaires, c'est-à-dire qu'il est impossible de les segmenter davantage. Pensez à la fameuse maxime "diviser pour mieux régner".

Une table peut être visualisée dans différents modes de présentation tels que le Mode Création, le mode Feuille de données, le mode Tableau croisé dynamique ou encore le mode Graphique croisé dynamique.

■   Le mode Création est destiné à mettre en place la structure de la table et à l'examiner ou à la modifier ultérieurement. Il sert à définir les propriétés de chacun des champs nécessaires dans la table en cours. Ces propriétés incluent le nom du champ, le type de donnée attendue, une description, un index et bien d'autres propriétés. Ces propriétés sont détaillées au chapitre *Créer et gérer les tables*, aux pages 61 et 70.

▲ Figure 1.3 : *Table en Mode Création*

■ Le mode Feuille de données permet la saisie des informations dans chacun des champs. Il ressemble à une feuille de calcul Excel. Les colonnes représentent les champs de la table. Chaque ligne correspond à un enregistrement de la table.

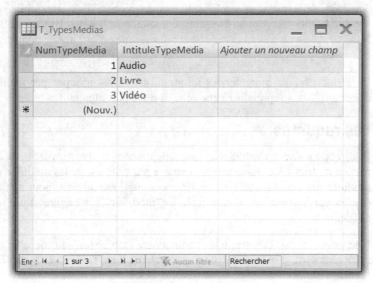

▲ Figure 1.4 : *Table en Mode Feuille de données*

Une base de données Access doit contenir plusieurs tables. Il ne serait pas judicieux d'utiliser Access si vous ne créez qu'une seule table. Excel suffirait amplement.

L'exemple que nous aborderons durant toute cette initiation porte sur la gestion de votre médiathèque personnelle. Vous enregistrerez et manipulerez des données concernant des livres, des CD audio, des cassettes vidéo ou encore des DVD. Il serait donc tentant de limiter le stockage des informations à une seule table. Les informations concernées pourraient être le titre du média, son support, son auteur, son éditeur et le genre auquel il appartient.

La redondance d'informations est la première erreur commise. En effet, si vous êtes fan d'un chanteur, vous êtes dans ce cas obligé de saisir son nom pour chaque album que vous possédez, avec les risques d'erreurs de frappe que cela suppose.

La difficulté de mise à jour des informations est la deuxième erreur commise. Admettons que vous souhaitiez modifier le genre BD en Bandes dessinées, le terme vous semblant mieux approprié. Vous serez obligé de reprendre tous les enregistrements contenant le libellé BD et de les ressaisir. C'est un travail fastidieux et vous risquez d'oublier de nombreux éléments.

Il va donc falloir morceler les informations et les grouper par thèmes communs. Vous reprendrez cette réflexion un peu plus tard.

Les requêtes

Une requête sert à exploiter les données contenues dans les tables. Elle permet de trier les données, de les extraire par critères, de les modifier, de produire des calculs, etc. Une requête peut aussi être utilisée pour ajouter des enregistrements dans une table ou modifier la structure d'une ou plusieurs tables.

Une requête est construite à partir d'une table (on dit qu'elle est monotable) ou à partir de plusieurs tables (dans ce cas, elle est dite multitable).

Une requête peut être employée comme source de données d'un formulaire, d'un état, d'une liste déroulante, etc.

À l'instar d'une table, une requête peut être visualisée de différentes manières telles que le mode Création, le mode Feuille de données, le mode SQL, le mode Tableau croisé dynamique et le mode Graphique croisé dynamique.

■ Le mode Création permet de concevoir la structure de la requête. Dans ce mode, la grille de conception fournit des moyens faciles pour créer et modifier les requêtes (voir Figure 1.5).

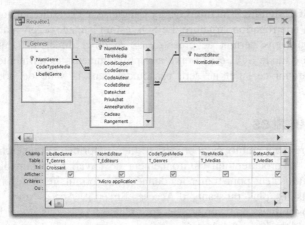

▲ Figure 1.5 : *Requête en mode Création*

- Le mode Feuille de données permet d'afficher les données résultant de l'interrogation mise en place en mode Création. Ce résultat est affiché sous la forme d'un tableau dans lequel vous pouvez effectuer des modifications, des ajouts, des suppressions de données ou encore appliquer des filtres ou des tris sur ces données. Exemple : une requête peut extraire rapidement la liste des livres de l'éditeur Micro Application.

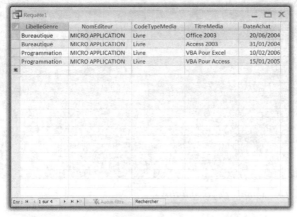

▲ Figure 1.6 : *Requête en mode Feuille de données*

- [SQL] SQL signifie Structured Query Language, c'est-à-dire langage
d'interrogation structuré. Le SQL est un langage de programmation qui vous permet de créer ou de modifier directement une requête. Le mode SQL est réservé aux programmeurs expérimentés, c'est pourquoi ce sujet ne sera pas étudié dans la suite de notre initiation.

Les formulaires

Les formulaires sont employés pour saisir, éditer, supprimer et rechercher les données. Ils procurent un environnement de travail beaucoup plus agréable à l'utilisateur pour traiter les données. Le formulaire représente un des objets les plus puissants d'Access. En effet, Access offre de multiples possibilités pour créer les formulaires. Une fois tous les formulaires de la base de données définis, celle-ci ressemble à une application de Windows.

Un formulaire est construit à partir d'une ou plusieurs tables ou requêtes. Il contient différents éléments appelés "contrôles". Les principaux contrôles utilisés (zone de texte, zone de liste modifiable, case à cocher, etc.) sont détaillés au chapitre *Créer et gérer des formulaires*, page 195.

▲ Figure 1.7 : *Un exemple de formulaire*

Les états

Si les formulaires permettent d'optimiser la saisie et la consultation des données à l'écran, les états sont destinés à leur impression.

Il est possible de créer des états simples (liste de noms, de produits, etc.), des états de regroupement (liste d'élèves regroupés par classes, liste de produits regroupés par catégories, etc.), des états statistiques (total des chiffres d'affaires réalisés par années et par catégories) ou encore des planches d'étiquettes (étiquettes d'adresses du fichier client).

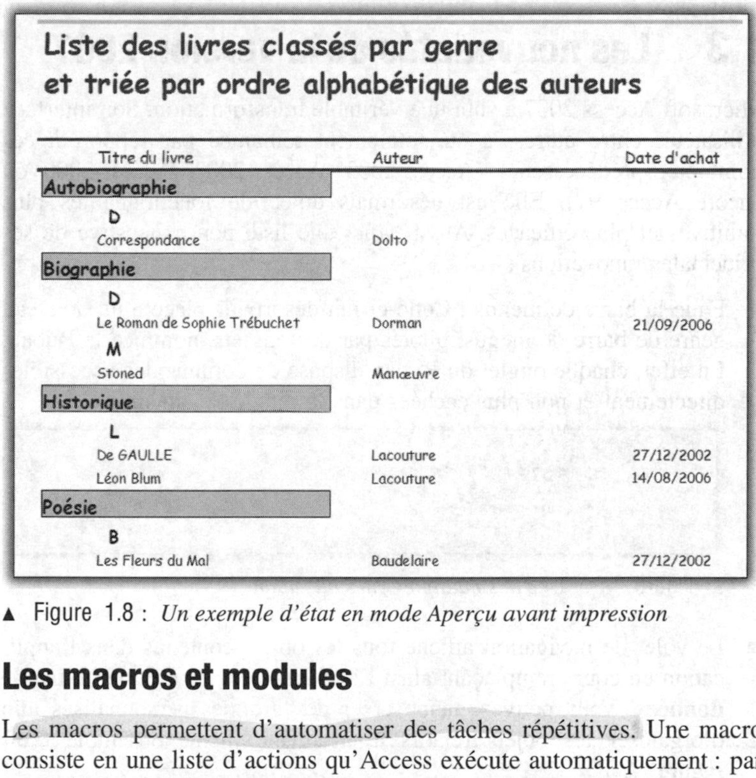

Liste des livres classés par genre et triée par ordre alphabétique des auteurs

Titre du livre	Auteur	Date d'achat
Autobiographie		
D		
Correspondance	Dolto	
Biographie		
D		
Le Roman de Sophie Trébuchet	Dorman	21/09/2006
M		
Stoned	Manœuvre	
Historique		
L		
De GAULLE	Lacouture	27/12/2002
Léon Blum	Lacouture	14/08/2006
Poésie		
B		
Les Fleurs du Mal	Baudelaire	27/12/2002

▲ Figure 1.8 : *Un exemple d'état en mode Aperçu avant impression*

Les macros et modules

Les macros permettent d'automatiser des tâches répétitives. Une macro consiste en une liste d'actions qu'Access exécute automatiquement : par exemple, à partir d'un formulaire, ouverture d'un autre formulaire grâce à un clic sur un bouton.

Un module regroupe un ensemble de procédures ou de fonctions écrites en langage Visual Basic Applications (VBA). C'est un langage de programmation commun aux applications Microsoft Office. Ce langage est plus performant que l'utilisation des macros. Les macros limitent rapidement les possibilités d'automatisation. C'est pourquoi l'usage du VBA s'impose rapidement au développeur.

Les macros et modules seront abordés dans ce livre, au chapitre 6 *Bref aperçu des macros et modules* (page 294).

1.3 Les nouveautés de la version 2007

Microsoft Access 2007 a subi une véritable transformation. Son interface utilisateur, entre autres, a été totalement remaniée par rapport à ces nombreux prédécesseurs (Access 2003, Access 2002, Access 2000 ou encore Access 97). Elle est désormais dotée de fonctionnalités plus intuitives et plus efficaces. Aussi, voici une liste non exhaustive de ses principales innovations :

■ Finie la barre de menus ! Celle-ci fait désormais place à un nouveau genre de barre de menus, pilotés par des onglets, nommée le Ruban. En effet, chaque onglet du Ruban dispose de commandes accessibles directement et non plus cachées dans la jungle des menus.

▲ Figure 1.9 : *Une des multiples vues du ruban*

■ Le volet de navigation affiche tous les objets contenus dans l'application en cours remplaçant ainsi l'ancienne fenêtre intitulée **Base de données**. Vous pouvez même créer des groupes personnalisés afin d'organiser les objets relatifs à un même thème ensemble (voir Figure 1.10).

■ L'affichage des différents objets se présente maintenant sous la forme de documents à onglets (voir fig. 1.11).

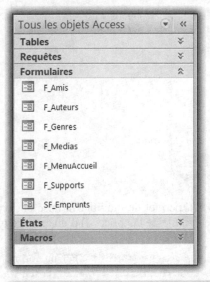

◄ Figure 1.10 :
*Le volet de
navigation*

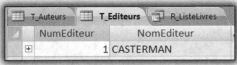

◄ Figure 1.11 :
*Affichage de
tables et
requêtes*

■ La barre des modes d'affichages, dans la barre d'état, située en bas et à droite de la fenêtre Access vous permet de basculer entre les différents modes d'affichage.

◄ Figure 1.12 :
*Modes d'affichage proposés
dans la barre d'état*

■ Les possibilités de tris et de filtrages ont été enrichies afin de trouver rapidement une ou plusieurs informations (voir Figure 1.13).

■ Un nouveau mode d'affichage fait son apparition, c'est le mode Page. Particulièrement utile dans les formulaires et états, ce mode permet de modifier la présentation de l'objet ou d'y ajouter un nouveau champ tout en restant en consultation des données.

◄ Figure 1.13 :
Trier et filtrer rapidement

- La fonctionnalité *Texte enrichi* permet de modifier la mise en forme (gras, italique, couleur, type et taille de la police…) d'un texte de type *Mémo*.
- L'option *Formulaire double affichage* permet de créer un formulaire combinant l'affichage en mode Feuille de données et en mode Formulaire.

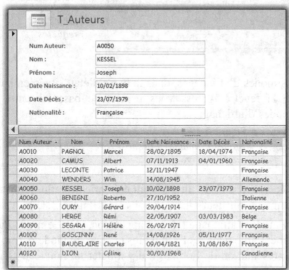

▲ Figure 1.14 : *Un exemple de formulaire double affichage*

■ Access vous autorise désormais à saisir plusieurs valeurs, issues d'une autre table, dans un seul champ d'une table. Par exemple, vous pouvez attribuer plusieurs sports, tous saisis dans une table *Sports*, à un même adhérent de la table *Adhérent*. Cette manipulation se fait aisément sans multiplier les tables et les relations entre elles, comme c'était le cas dans les anciennes versions. Toutefois, l'ancienne méthode reste encore applicable.

■ En mode Création de table, le nouveau type de données *Pièce jointe* permet de stocker aisément tout type de documents tels qu'une lettre Word ou un tableau de bord Excel.

■ Vous pouvez exporter les données de chaque objet au format *.pdf*. Cette fonctionnalité est intéressante pour exporter des états et les distribuer ainsi par messagerie électronique.

1.4 Démarrer Access

Il existe plusieurs possibilités pour lancer Access. Nous en avons retenu deux.

■ Cliquez sur le menu **démarrer** de la barre des tâches, en bas à gauche de votre écran, puis sur le menu **Tous les Programmes** (ou **Programmes** en fonction de la configuration de votre Barre des tâches). Déroulez le dossier **Microsoft Office** et cliquez sur le programme **Microsoft Office Access 2007**.

■ Si le raccourci d'Access se trouve sur le Bureau, double-cliquez sur l'icône de l'application.

Le double clic est en général la méthode la plus rapide pour le chargement du logiciel.

Immédiatement (ou presque !), la page **Prise en main de Microsoft Access** s'affiche (voir Figure 1.15).

C'est à partir de cet écran que vous pourrez créer une base de données basée sur un modèle, créer une base de données vide, ou ouvrir une base de données existante.

▲ Figure 1.15 : *Fenêtre d'accueil d'Access 2007*

1.5 Créer une nouvelle base de données

Contrairement aux logiciels Word, Excel, PowerPoint ou Publisher, vous devez, avant même sa création, sauvegarder votre base de données. Il s'agit, en fait, de créer l'enveloppe qui contiendra tous les objets de l'application (tables, requêtes, formulaires, états, etc.).

Access propose trois méthodes pour créer une base de données :

- Utiliser un modèle de la liste des modèles fournis à l'installation d'Access et présents sur votre disque dur.
- Utiliser un modèle téléchargé sur le site de Microsoft.
- Créer une nouvelle base de données vide.

Access 2007 est doté de plusieurs modèles. Un modèle est une base de données prête à l'emploi contenant déjà des objets tables, requêtes, formulaires et états définis. Il vous appartient de les compléter, d'ajouter d'autres objets et de saisir vos propres informations. Notez, toutefois, que certains modèles peuvent déjà contenir des données. Il est alors tout à fait possible de les supprimer.

Créer une base de données à partir d'un modèle proposé

Les modèles représentent un excellent point de départ pour créer votre propre base de données, dans la mesure où vos besoins correspondent à un modèle existant. La procédure mise en œuvre réalisera pour vous une base de données complète, sans intervention de votre part, ou presque. Procédez ainsi :

1. Démarrez le logiciel Access 2007 par tout moyen à votre convenance.

2. Dans la rubrique **Catégories de modèles** du volet situé dans la partie gauche de l'écran, sélectionnez la catégorie *Business*.

3. Dans la fenêtre centrale, cliquez sur le modèle de votre choix. Sélectionnez, pour notre premier exemple, le modèle **Contacts**.

4. Dans le volet situé à droite de la fenêtre, un nom vous est déjà proposé. Vous avez la possibilité de modifier ce nom si vous le souhaitez.

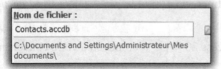

◄ Figure 1.16 :
*Nommer la base
de données*

5. Pour enregistrer la base de données dans un autre dossier que celui indiqué sous le nom, cliquez sur le bouton **Cherchez un emplacement pour votre base de données**.

6. Dans la boîte de dialogue **Fichier Nouvelle base de données**, sélectionnez l'emplacement souhaité. Pour notre exemple, sauvegardez la base dans un dossier *Exercices*, que vous aurez préalablement créé dans l'explorateur Windows soit à la racine du disque dur C:\, soit dans un autre dossier. Puis cliquez sur le bouton OK.

7. Cliquez sur le bouton **Créer**.

Access crée la nouvelle base à partir du modèle sélectionné puis l'ouvre. Une fois la base de données créée, un formulaire s'affiche prêt à recevoir les premières saisies.

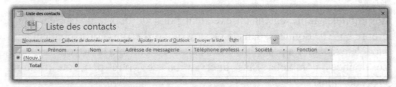

▲ Figure 1.17 : *Affichage du formulaire de saisie des données*

Utilisez le volet de navigation pour vous déplacer dans les différents objets créés.

1.6 Créer une base de données à partir d'un modèle téléchargé

Si vous n'avez pas trouvé le modèle correspondant à vos besoins et si vous disposez d'une connexion Internet, n'hésitez pas à télécharger de nouveaux modèles.

1. Démarrez le logiciel Access 2007 par tout moyen à votre convenance.

2. Dans la rubrique *A partir de Microsoft Office Online* du volet situé dans la partie gauche de l'écran, sélectionnez la catégorie souhaitée, par exemple cliquez sur *Professionnel*.

3. Dans la fenêtre centrale, cliquez sur le modèle de votre choix. Sélectionnez, pour notre deuxième exemple, le modèle **Biens**.

4. Dans le volet situé à droite de la fenêtre, un nom vous est de nouveau proposé. Modifiez-le si vous le souhaitez ou conservez le nom indiqué.

5.  Pour enregistrer la base de données dans un autre dossier que celui indiqué sous le nom, cliquez sur le bouton **Cherchez un emplacement pour votre base de données**.

6. Dans la boîte de dialogue **Fichier Nouvelle base de données**, sélectionnez l'emplacement souhaité (par exemple *Exercices*) et cliquez sur le bouton OK.

7. Cliquez sur le bouton **Télécharger**.

◄ Figure 1.18 :
Télécharger la base de données

Access télécharge immédiatement le modèle, puis crée ensuite une nouvelle base de données sur le modèle sélectionné et la stocke dans le dossier indiqué à l'étape 6.

▲ Figure 1.19 : *Progression du téléchargement*

Une fois la base de données créée, un formulaire s'affiche prêt à recevoir les premières saisies.

Utilisez le volet de navigation pour vous déplacer dans les différents objets créés.

1.7 Créer une base de données vide

Enfin, si vous n'avez pas trouvé le modèle souhaité ou si vous désirez créer par vous même les objets de votre base de données, optez pour la solution de conception d'une base de données vide. Cette procédure vous permettra de faire connaissance progressivement avec les premières fonctionnalités d'Access. Vous constaterez, par la suite, que si l'utilisation d'un modèle vous facilite la tâche, elle ne répond que rarement à vos besoins. Procédez ainsi :

1. Démarrez le logiciel Access 2007 par tout moyen à votre convenance.

2. Dans la fenêtre **Prise en main de Microsoft Access**, sous la rubrique **Nouvelle base de données vide**, cliquez sur **Base de données vide**.

3. Dans la zone **Nom de fichier** du volet **Base de données vide** situé dans la partie droite de l'écran, saisissez le nom que vous souhaitez attribuer à la nouvelle base. Nous vous proposons de saisir Médiathèque qui représente la base de données que vous élaborerez au fil des chapitres. N'effacez pas l'extension *.accdb* indiquée.

4. Pour enregistrer la base de données dans un autre dossier que celui indiqué sous le nom, cliquez sur le bouton **Cherchez un emplacement pour votre base de données**. Pour notre exemple, sauvegardez la base dans le dossier *Exercices*, déjà créé dans les sections précédentes.

5. Cliquez sur le bouton **Créer**.

La fenêtre de l'application Médiathèque apparaît dans la fenêtre Access. Vous constatez, en regardant dans la barre de titre de la nouvelle fenêtre, que le format attribué par défaut est bien le format Access 2007.

Access a créé la nouvelle base de données et y a déjà ajouté une première table nommée *Table1* mais non encore enregistrée. Cette table est affichée en **Mode Feuille de données** et s'apparente visuellement à une feuille de calcul Microsoft Excel.

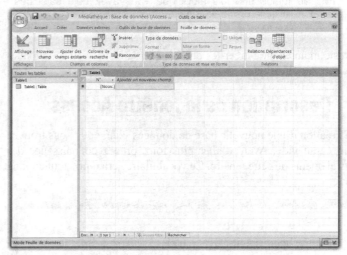

▲ Figure 1.20 : *Fenêtre de la base de données Médiathèque*

Il vous est tout à fait possible de créer la structure au fur et à mesure que vous saisissez les données.

Toutefois, ce n'est pas une méthode très rigoureuse et, bien entendu, nous ne vous la conseillons pas.

Pour l'instant, cliquez sur le bouton **Fermer "Table1"**, à l'extrême droite du nom de l'onglet *Table1*.

Si Access vous demande d'enregistrer les modifications apportées à la structure, cliquez sur le bouton de commande **Non**.

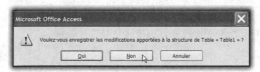

▲ Figure 1.21 : *Refuser la sauvegarde de la table*

Suppression de la *Table1*

Si vous fermez la table nommée *Table1* sans l'avoir enregistrée au moins une fois alors que vous avez déjà saisi des données, alors la table disparait complètement.

Il vous reste maintenant à créer les objets nécessaires au bon fonctionnement de votre application.

1.8 Description de la fenêtre Access

Après la création d'une nouvelle base de données vide, vous vous trouvez face à un écran vide. Avant d'aller plus loin, prenez connaissance des différents éléments de cette fenêtre. Ce vocabulaire sera repris tout au long de ce livre.

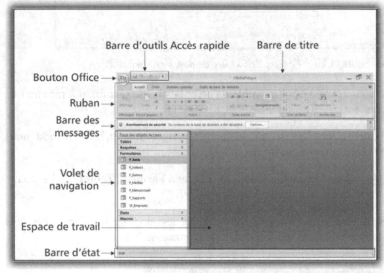

▲ Figure 1.22 : *Les différents éléments de la fenêtre Access*

1.9 Découvrir le Ruban

Désormais la barre de menus et barres d'outils ont été remplacées par un unique outil à fonctionnalités multiples, c'est le **Ruban**. Le **Ruban** a été développé afin d'accélérer la recherche de commandes. Les commandes sont regroupées par thèmes (des groupes) dans des onglets et représentées par des symboles nommés contrôles. Ces contrôles représentent, en fait, des raccourcis de commandes. Chaque onglet concerne un groupe de commandes précis. Certains onglets apparaissent en fonction de l'objet actif et du mode d'affichage de l'objet.

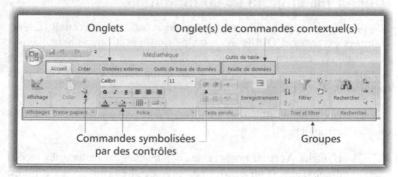

▲ Figure 1.23 : *Description du ruban*

Le ruban comporte trois éléments principaux :

■ Les onglets : Chaque onglet regroupe les tâches principales que vous effectuez.

■ Les groupes : Ils réunissent toutes les commandes concernant une tâche bien précise. Par exemple, le groupe **Police** rassemble toutes les commandes relatives à la mise en forme des données.

■ Les commandes : elles correspondent à une action bien définie telle que la copie, le collage,... Une commande peut être identifiée par un bouton de commande (c'est le cas le plus courant), un menu (choix d'une police, d'une couleur,...) ou une case à cocher.

Une commande particulière

Dans certains groupes apparaît, dans le coin inférieur droit, une petite flèche appelée *Lanceur de boîte de dialogue*. Quand vous cliquez sur cette flèche, une boîte de dialogue s'affiche proposant des commandes supplémentaires. Dans le groupe **Police**, un clic sur le *Lanceur de boîte de dialogue* vous permet d'accéder à d'autres options de mise en forme.

Utiliser les onglets de commandes

Les principaux onglets de commandes du ruban sont : **Accueil**, **Créer**, **Données externes** et **Outils de bases de données**. Comme nous l'avons déjà indiqué, chaque onglet est organisé en groupes de commandes connexes. Rappelons également que les commandes visibles varient en fonction de l'objet actif et de son mode d'affichage.

Les tableaux suivants illustrent les principales commandes utilisées dans chacun des onglets.

 L'onglet **Accueil** contient des commandes concernant les modes d'affichages, la mise en forme, les enregistrements, les tris et filtres.

Tab. 1.1 : Description des commandes de l'onglet Accueil	
Outil	Signification
Le groupe *Tables*	
	Affiche l'objet sélectionné en Mode Création.
	Affiche l'objet sélectionné en Mode Feuille de données.
	Affiche l'objet formulaire sélectionné en Mode Formulaire.
	Affiche l'objet formulaire ou état sélectionné en Mode Page.

Tab. 1.1 : Description des commandes de l'onglet Accueil

Outil	Signification
	Affiche l'objet état sélectionné en Mode Rapport.

Le groupe *Presse-papiers*

Outil	Signification
	En fonction du contexte, coupe l'objet ou le contrôle sélectionné.
	En fonction du contexte, copie l'objet, le contrôle ou les données sélectionnés.
	Colle la dernière copie (objet, contrôle ou donnée) effectuée.
	Reproduit la mise en forme du contrôle (dans un formulaire ou un état) sélectionné.

Le Groupe *Police*

Outil	Signification
Tahoma	Choix de la police de caractères.
9	Choix de la taille à appliquer à la police de caractères.
G I S	Outils de mise en forme : caractères gras, italique et souligné.
	Outils modifiant l'alignement du contenu d'un champ : gauche, centré ou droite.
A	Choix d'une couleur à appliquer à du texte.
	Choix d'une couleur de remplissage.
	Choix d'une couleur de surbrillance à appliquer à un morceau de texte (utilisable sur du texte enrichi).
	En Mode Feuille de données, choix des bordures à encadrer.

Tab. 1.1 : Description des commandes de l'onglet Accueil	
Outil	**Signification**
	En Mode Feuille de données, couleur de remplissage attribuée à une ligne sur deux.
Le groupe Enregistrements	
	Crée un nouvel enregistrement.
	Sauvegarde l'enregistrement en cours.
	Supprime l'enregistrement, la colonne ou le contrôle sélectionné.
	En Mode Feuille de données, crée une ligne de totaux en bas de la grille.
	Exécute le vérificateur orthographique.

Les groupes **Texte enrichi**, **Trier et Filtrer** et **Rechercher** seront étudiés dans des chapitres ultérieurs.

L'onglet **Créer** contient des commandes concernant la création des différents objets **Tables**, **Requêtes**, **Formulaires**, **Etats** et **Macros**.

Les contrôles contenus dans cet onglet seront décrits lors de l'étude de chacun des objets correspondant.

L'onglet **Données externes** contient des commandes permettant d'importer, d'exporter ou de lier des données, provenant de sources différentes (Excel, Access, messagerie électronique,...).

Les contrôles contenus dans cet onglet seront décrits lors de l'étude de l'importation et de l'exportation de données.

L'onglet **Outils de base de données** contient des commandes permettant de gérer les relations entre les tables, d'afficher ou de masquer les dépendances d'objets et propose de nombreuses fonctionnalités utiles à la gestion de la base de données.

Quelques-une de ces fonctionnalités seront étudiées dans les chapitres suivants.

Commande indisponible

Si un contrôle est grisé, c'est que la commande n'est pas applicable à l'élément sélectionné.

En plus des onglets de commandes standards, l'ouverture de certains objets fait apparaître un onglet (ou plus) de commandes contextuel. Cet onglet propose des commandes propres à l'objet manipulé et dépend de son mode d'ouverture (mode Création, Feuille de données,...).

▲ Figure 1.24 : *Onglet contextuel associé à l'objet Table en mode création*

Masquer ou afficher le ruban

Pour gagner temporairement ou définitivement un peu d'espace dans votre espace de travail, vous pouvez masquer le ruban en double cliquant sur l'onglet actif. Seule la barre des onglets reste visible.

Un clic sur un des onglets du ruban permet d'accéder temporairement à une commande du ruban. Un double-clic sur un des onglets du ruban permet de restaurer l'affichage complet du ruban.

Découvrir la barre d'outils Accès rapide

Contrairement à ce que nous indiquions précédemment, il subsiste encore une barre d'outils, c'est la barre d'outils **Accès rapide**. C'est une barre comportant très peu d'outils et positionnée, en principe, au-dessus du ruban.

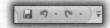

◄ Figure 1.25 :
Barre d'outils Accès rapide

Déplacer la barre d'outils Accès rapide

Cette barre peut être positionnée à deux endroits :

- À droite du bouton **Office**, au-dessus du Ruban. C'est son emplacement par défaut.
- Sous le Ruban.

Pour déplacer la barre d'**Accès rapide** sous le Ruban :

1. Dans la barre d'**Accès rapide**, cliquez sur le contrôle **Personnaliser la barre d'outils Accès rapide**.

2. Dans la liste déroulante, en fonction de la position actuelle de la barre, choisissez la commande :

   - **Afficher en dessous du Ruban**.

   ou

   - **Afficher au-dessus du Ruban**.

Ajouter une commande à la barre d'outils Accès rapide

Nous vous proposons deux méthodes pour ajouter une nouvelle commande.

- À partir du Ruban (méthode la plus rapide).

1. Dans le Ruban, sélectionnez l'onglet dans lequel se trouve la commande souhaitée.

2. Effectuez un clic bouton droit sur la commande à insérer dans la barre d'**Accès rapide** et activez la commande **Ajouter à la barre d'outils Accès rapide**.

   - À partir de la barre d'outils **Accès rapide** (cette méthode permet d'ajouter plusieurs commandes en même temps) :

1. Dans la barre d'outils **Accès rapide**, cliquez sur le contrôle **Personnaliser la barre d'outils Accès rapide**.

2. Dans la liste déroulante, choisissez la commande **Autres commandes...** La boîte de dialogue **Options Access** s'ouvre.

3. Dans la liste déroulante **Choisir les commandes dans les catégories suivantes :**, sélectionnez la catégorie dans laquelle se trouve la commande à ajouter.

4. Dans la liste des commandes, sélectionnez la commande souhaitée, puis cliquez sur le bouton **Ajouter** >>.

▲ Figure 1.26 : *Ajout de commandes à la barre d'outils Accès rapide*

5. Lorsque toutes les commandes souhaitées sont insérées, cliquez sur le bouton OK.

Supprimer une commande de la barre d'outils Accès rapide

Pour supprimer une commande, faites un clic du bouton droit sur la commande à supprimer concernée dans la barre d'outils **Accès rapide** et activez la commande **Supprimer de la barre d'outils Accès rapide**.

Utiliser les info-bulles

Quand vous parcourez les contrôles du ruban, simplement en faisant glisser le pointeur de la souris, une brève explication apparaît dans un cadre appelé info-bulle.

◄ Figure 1.27 :
Affichage d'une info-bulle simple

Access 2007 dispose également d'info-bulles avancées. Ce sont des info-bulles de plus grande taille, proposant une description plus complète du contrôle parcouru et pouvant même proposer un lien vers une rubrique d'aide.

◄ Figure 1.28 :
Affichage d'une info-bulle avancée

Pour afficher, masquer ou modifier l'affichage des infos-bulles et infos-bulles avancées, procédez de la façon suivante :

1. Cliquez sur le bouton **Office**.

2. Cliquez sur le bouton de commande **Options Access** en bas à droite de la fenêtre.

3. Dans la boîte de dialogue **Options Access**, sélectionnez la catégorie **Standard** (si ce n'est déjà fait).

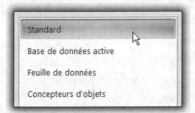

◄ Figure 1.29 :
Choix de la
catégorie

4. Dans la rubrique **Options courantes à utiliser avec Access**, dans la liste **Style d'info-bulle**, sélectionnez :

- **Afficher les descriptions de fonctionnalités dans des info-bulles** pour activer les info-bulles simples et avancées. C'est l'option par défaut.

- **Ne pas afficher les descriptions de fonctionnalités dans des info-bulles** pour désactiver uniquement les info-bulles avancées.

- **Ne pas afficher les des info-bulles** pour désactiver les info-bulles simples et avancées.

5. Cliquez sur le bouton OK.

Utiliser les raccourcis clavier

Les raccourcis clavier sont utiles pour lancer des commandes à la main plutôt qu'avec la souris. Dans de nombreux cas, ces raccourcis clavier vous permettent de travailler beaucoup plus facilement et rapidement, essentiellement lorsque vous réalisez fréquemment les mêmes opérations.

Voici quelques raccourcis clavier à utiliser sans modération !

Tab. 1.2 : Raccourcis clavier utiles	
Séquence de touches	Pour
Ctrl+N	Créer une nouvelle base de données.
Ctrl+O	Ouvrir une base de données existante.

Séquence de touches	Pour
Alt + F4	Quitter Access.
Ctrl + S	Enregistrer un objet.
Ctrl + F4	Fermer l'objet actif.
F11	Afficher ou masquer le volet de navigation.
Ctrl + F1	Masquer ou afficher le ruban.
Ctrl + F6	Naviguer entre les différents objets ouverts.
F2	Renommer l'objet sélectionné, dans le volet de navigation. Positionner le curseur à la fin de la saisie, en mode saisie de données dans un champ.
F4	Afficher la feuille des propriétés, en mode Création.
F1	Activer l'aide.

Tab. 1.2 : Raccourcis clavier utiles

Pour découvrir tous les raccourcis clavier d'Access, tapez `Raccourcis clavier` dans la zone *Rechercher* de l'aide Access. En principe le premier article résultant de la recherche est celui à consulter. Pour découvrir comment obtenir de l'aide, reportez-vous à la page 52.

Utiliser les touches d'accès rapides

Pour accéder rapidement aux commandes du ruban à l'aide du clavier, utiliser les touches accélératrices.

1. Appuyez sur la touche Alt (ou F10). Des lettres ou chiffres associés aux touches d'accès rapide apparaissent au dessus :

- du bouton **Office** ;
- de chaque commande de la barre d'outils *Accès rapide* ;
- de chaque onglet du Ruban.

◄ Figure 1.30 :
Touches d'accès rapides aux commandes du ruban

2. Appuyez sur la lettre ou le chiffre correspondant à la commande à effectuer.

3. En fonction de la lettre ou du chiffre pressé, d'autres combinaisons de touches apparaissent. Appuyez de nouveau sur une combinaison de touches pour exécuter la commande choisie.

▲ Figure 1.31 : *Touches d'accès rapides aux commandes de l'onglet Créer*

4. Pour arriver à la fonctionnalité souhaitée, progressez ainsi en appuyant successivement sur les différentes touches proposées.

Par exemple, pour créer une table en mode **Création**, appuyez successivement sur les touches :

- [Alt] pour afficher les touches d'accès rapides ;
- [C] (minuscule ou majuscule) pour accéder aux commandes de l'onglet **Créer** ;
- [T] (à ce niveau il reste deux touches affichées *TN* et *TD*)
- [D] pour créer une table en mode **Création**.

Pour masquer les touches d'accès rapides, appuyez de nouveau sur la touche [Alt].

1.10 Découvrir la barre d'état

La barre d'état, située en bas de la fenêtre Access, affiche des messages concernant l'état des objets (mode Création, mode Feuille de données…), des indicateurs tels que le contenu de la description d'un champ en mode Feuille de données ou encore la progression d'une importation ou d'une conversion et bien d'autres informations que vous aurez probablement l'occasion d'observer au cours de vos manipulations.

Dans Access 2007, la barre d'état offre deux nouvelles fonctionnalités : une barre permettant de basculer entre les différents modes d'affichage des objets et un zoom.

Cette barre, présentant les modes d'affichage d'un objet, varie en fonction de l'objet actif.

Le zoom n'apparaît que dans les états. Cette fonctionnalité sera étudiée dans le chapitre *Créer et gérer des états*.

Afficher ou masquer la barre d'état

Il est possible d'activer ou de désactiver la barre d'état selon vos besoins.

1. Cliquez sur le bouton **Office** en haut à gauche de la fenêtre Access.

2. Cliquez sur le bouton de commande **Options Access** en bas à droite de la fenêtre.

3. Dans le volet situé à gauche de la boîte de dialogue **Options Access**, sélectionnez la catégorie **Base de données active**.

4. Dans la section **Options de l'application**, décochez la case *Afficher la barre d'état* afin de masquer la barre d'état. Puis cliquez sur le bouton OK.

> **Mise à jour de l'affichage non immédiate**
>
> Pour que cette modification prenne effet, vous devez fermer et ouvrir de nouveau votre base de données. Cette modification est propre à chaque base de données.

Effectuez la manipulation inverse si vous souhaitez afficher la barre d'état.

1.11 Comprendre les onglets de documents

Access 2007 propose un nouvel affichage des objets dans une fenêtre nommée "document à onglets". Au lieu d'afficher chaque objet dans une fenêtre indépendante, une seule fenêtre est ouverte et contient l'ensemble des objets ouverts. Chaque objet est alors accessible par un clic sur son nom contenu dans un onglet.

▲ Figure 1.32 : *Affichage des objets sous forme de documents à onglets*

C'est l'affichage proposé par défaut lors de la création d'une base de données Access 2007. En revanche, si vous ouvrez une base de données au format antérieur, l'affichage sous forme de fenêtres indépendantes superposées est conservé.

Basculer de l'affichage sous forme d'onglets à l'affichage de fenêtres superposées

1. Cliquez sur le bouton **Office** en haut à gauche de la fenêtre Access.

2. Cliquez sur le bouton de commande **Options Access** en bas à droite de la fenêtre.

3. Dans le volet situé à gauche de la boîte de dialogue **Options Access**, sélectionnez la catégorie **Base de données active**.

4. Dans la rubrique **Options de l'application**, cochez l'option *Fenêtres superposées*. Puis cliquez sur le bouton OK.

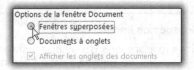

◄ Figure 1.33 :
Activer l'affichage des objets en fenêtres superposées

Effectuez la manipulation inverse si vous souhaitez revenir sur un affichage de documents à onglets.

Afficher ou masquer les onglets de documents

Lorsque votre base de données est mise à disposition d'utilisateurs non expérimentés sur Access, il est judicieux de leur préparer une interface utilisateur de façon à ce qu'ils ne puissent pas accéder aux objets stratégiques. En principe, l'interface doit leur permettre de naviguer entre les formulaires et les états. C'est pourquoi, l'affichage des onglets de documents n'est absolument plus nécessaire. Pour désactiver les onglets, procédez ainsi :

1. Cliquez sur le bouton **Office** en haut à gauche de la fenêtre Access.

2. Cliquez sur le bouton de commande **Options Access** en bas à droite de la fenêtre.

3. Dans le volet situé à gauche de la boîte de dialogue **Options Access**, sélectionnez la catégorie **Base de données active**.

4. Dans la section **Options de l'application**, décochez l'option *Afficher les onglets des documents*. Puis cliquez sur le bouton OK.

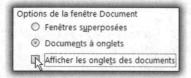

◄ Figure 1.34 :
*Masquer les
onglets de
documents*

Pour fermer un objet lorsque vous avez masqué les onglets de documents, il vous reste une unique solution : appuyez sur la combinaison de touches [Ctrl]+[F4].

> **Mise à jour de l'affichage non immédiate**
>
> Pour que les différentes modifications d'affichage prennent effet, vous devez fermer et ouvrir de nouveau votre base de données. Ces modifications sont propres à chaque base de données.

1.12 Découvrir le volet de navigation

Le volet de navigation constitue le poste de pilotage de votre future application. C'est dans cette fenêtre que vous ajouterez et visualiserez les différents objets (tables, requêtes, formulaires, états…) nécessaires à la gestion de vos données. Ce volet remplace la fenêtre Base de données des anciennes versions.

Voici quelques avantages offerts par le volet de navigation qui apportent un confort dans l'utilisation d'Access 2007 :

- Ce volet est affiché en permanence, il n'est jamais masqué par un objet se positionnant dessus. Il peut même servir de menu d'accueil facilitant, pour un utilisateur béotien, la navigation entre les différents objets de la base de données.
- Plusieurs types d'actions peuvent être exécutés à partir du volet, tels que la copie, la suppression, l'importation ou l'exportation d'objets.
- Vous pouvez afficher ou masquer les objets souhaités dans le volet.
- De nombreuses possibilités vous sont proposées pour organiser le regroupement des objets selon votre choix.
- Vous pouvez créer des catégories et groupes personnalisés limitant ainsi l'accès à certains objets. Supposons que vous n'autorisiez l'accès qu'à la saisie et consultation des médias et des emprunts ainsi qu'à l'édition de quelques rapports. Dans ce cas, vous pouvez créer une catégorie personnalisée et y placer un groupe de raccourcis vers les objets autorisés.

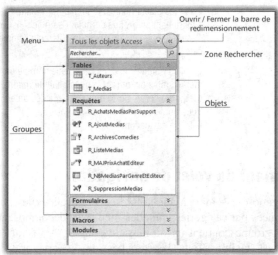

▲ Figure 1.35 : *Description du volet de navigation*

Tab. 1.3 : Les différents éléments du volet de navigation		
N°	Nom	Description
1	Menu	Il affiche la catégorie choisie pour la présentation des groupes et des objets dans le volet.
2	Barre de redimensionnement	Elle permet d'adapter la largeur du volet selon vos besoins. Pour redimensionner le volet, cliquez et glissez la flèche à double pointes vers la droite pour agrandir le volet ou vers la gauche pour le rétrécir. Lorsque le volet de navigation est masqué, cliquez sur le texte vertical **Volet de navigation** ou appuyez sur la touche [F11] afin de l'afficher de nouveau. Si vous souhaitez cacher complètement ce volet, il faut vous rendre dans les options d'Access.
3	Zone Rechercher	Elle permet de trouver rapidement par son nom un objet de la base de données. Au fur et à mesure que vous saisissez les caractères, le volet masque les groupes et les objets ne correspondant pas à la demande.
4	Groupes	Pour développer ou réduire un groupe, cliquez sur la barre de titre du groupe.
5	Objets	Liste des objets (tables, requêtes, formulaires...) appartenant au groupe déroulé. Ces objets peuvent être de même type ou de types différents selon la catégorie sélectionnée.
6	Espace	Un clic bouton droit dans cette zone déroule un menu contextuel offrant la possibilité de modifier la catégorie, l'ordre de tri ou l'affichage des objets. Vous pouvez également accéder aux options du volet de navigation.

Fonctionnement du volet de navigation

Le volet de navigation ressemble à une arborescence. Il classe les objets de la base de données par catégories, qui elles-mêmes se décomposent en groupes. Chaque groupe contient un ou plusieurs objets. À l'écran, une seule catégorie est visible. Tous les groupes de la catégorie sont accessibles (à moins qu'ils ne soient masqués). Ils peuvent ne pas être tous visibles, s'ils contiennent beaucoup d'objets. Dans ce cas, une barre de défilement verticale permet de les faire défiler.

En cliquant sur le **Menu**, vous accédez à la liste des catégories et groupes définis dans Access.

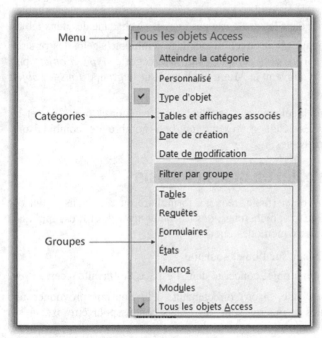

▲ Figure 1.36 : *Les deux parties du Menu*

Voici quelques explications complémentaires :

- La liste des catégories affiche les catégories prédéfinies et personnalisées. La coche indique la catégorie sélectionnée.
- La liste des groupes affiche les groupes prédéfinis et personnalisés de la catégorie sélectionnée.
- Le **Menu** est propre à chaque base de données. Un **Menu** ne peut être ni importé, ni exporté.
- Le titre du **Menu** est fonction de la catégorie et du groupe choisis.

- Par défaut, à la création d'une nouvelle base de données, Access affiche toujours la catégorie *Tables et affichages associés* et le groupe *Toutes les tables*. En fait, Access crée un groupe pour chaque table de la base de données. C'est pourquoi certains objets (requêtes, formulaires et états) peuvent apparaître plusieurs fois dans des groupes différents. Par exemple, si une requête est construite sur deux tables, elle apparaît dans les deux groupes associés à chacune des deux tables.

- Si vous souhaitez retrouver un affichage semblable à celui des versions antérieures d'Access, cliquez sur la catégorie *Type d'objet*, puis déroulez de nouveau le **Menu** et cliquez sur le groupe *Tous les objets Access*.

Entraînez-vous à sélectionner les différentes catégories proposées et les groupes associés. Cela représente un bon nombre de combinaisons d'affichages possibles.

Ouvrir un objet en mode de saisie

Pour ouvrir un objet (table, requête, formulaire ou état) dans le but d'y faire de la saisie, des recherches, des tris ou essayer des filtres, appliquez l'une des ces deux méthodes énoncées :

- Double cliquez sur l'objet souhaité.
- Faites glisser l'objet concerné dans l'espace de travail Access.

Evitez d'ouvrir une macro directement, cela pourrait provoquer une erreur. Modules et macros sont des objets conçus pour être exécutés à partir d'autres objets.

Ouvrir un objet en mode création

Pour ouvrir un objet (table, requête, formulaire, état, macro ou module) dans le but de modifier sa structure, appliquez l'une des deux méthodes énoncées :

- Faites un clic bouton droit sur l'objet souhaité et activez la commande **mode Création**.
- Sélectionnez l'objet et appuyez sur la combinaison de touches [Ctrl]+[Entrée].

1.13 Fermer une base de données

Pour fermer une base de données, sans quitter Access :

1. Cliquez sur le bouton **Office** en haut à gauche de la fenêtre Access.

2. Activez la commande **Fermer la base de données**.

1.14 Quitter Access

De la même façon que pour le démarrage, il existe plusieurs possibilités pour quitter Access.

- Par le bouton Office :

1. Cliquez sur le bouton **Office** en haut à gauche de la fenêtre Access.

2. Cliquez sur le bouton **Quitter Access** en bas à droite du menu déroulé.

◄ Figure 1.37 :
Quitter Access par le menu

- Par le bouton **Fermer** (représenté par une croix) situé en haut à droite de l'écran. (Cliquez bien sur la croix correspondant à Access - elle est placée tout en haut de l'écran - et non sur la croix correspondant à la base de données.)

L'application sur laquelle vous avez travaillé ainsi que le logiciel Access sont fermés. Si un objet sur lequel vous avez effectué des modifications est encore ouvert, Access envoie un message vous demandant si vous souhaitez enregistrer ces changements.

1.15 Ouvrir une base de données existante

Bien sûr, votre travail sur la nouvelle base de données ne fait que commencer. Vous allez donc ouvrir de nouveau la base de données *Médiathèque* :

1. Démarrez le logiciel Access 2007 selon la méthode de votre choix.

2. Plusieurs possibilités s'offrent à vous. En voici deux :

- Si votre base de données a été récemment ouverte, son nom doit apparaître dans le volet **Ouvrir une base de données récente**, situé à droite de la fenêtre **Prise en main de Microsoft Access**.

◄ Figure 1.38 :
Ouvrir une base de données existante figurant dans la liste du volet Office

- Cliquez sur le bouton **Office** et activez la commande **Ouvrir...** . Déplacez-vous dans le dossier où la base a été sauvegardée. Double-cliquez sur le fichier quand vous l'avez repéré.

Si une base de données était déjà ouverte, Access ferme la base de données, vous propose, le cas échéant, de sauvegarder les modifications effectuées et ouvre la base de données choisie.

Si vous n'avez pas modifié les options de sécurité, un message d'avertissement s'affiche à l'écran, c'est la **Barre des messages**.

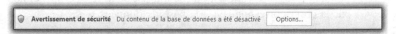

▲ Figure 1.39 : *Barre des messages*

3. Si vous avez totalement confiance dans le contenu de la base de données, cliquez sur le bouton **Options** de la **Barre des messages**.

4. Dans la boîte de dialogue **Fiabilité dans Office**, sélectionnez l'option *Activer ce contenu*, puis cliquez sur le bouton OK. La **Barre des messages** disparaît.

Néanmoins, cette barre des messages apparaîtra de nouveau à la prochaine ouverture de cette base de données. Aussi, pour éviter l'affichage répété de cette barre, vous pouvez la désactiver.

Désactiver l'avertissement de sécurité

Pour désactiver de façon définitive l'affichage de la Barre de messages, procédez ainsi :

1. Cliquez sur le bouton **Office** en haut à gauche de la fenêtre Access.

2. Cliquez sur le bouton **Options Access** en bas à droite du menu déroulé.

3. Dans le volet situé à gauche de la boîte de dialogue **Options Access**, sélectionnez la catégorie **Centre de gestion de la confidentialité**.

4. Cliquez sur le bouton **Paramètres du Centre de gestion de la confidentialité...** à droite de la fenêtre.

5. Dans la catégorie **Paramètres de la barre d'action du document**, activez l'option *Ne jamais afficher d'informations sur un contenu bloqué*. Puis cliquez sur le bouton OK.

▲ Figure 1.40 : *Désactiver la sécurité*

À la prochaine ouverture d'Access et de la base de données, la **Barre de messages** n'apparaîtra plus.

Effectuez l'opération inverse si vous souhaitez de nouveau voir s'afficher de nouveau le message de sécurité.

1.16 Utiliser l'aide d'Access

Access propose deux méthodes pour accéder à la fenêtre d'Aide :

-  Cliquez sur le bouton **Aide sur Microsoft Office Access (F1)**, bouton situé à l'extrême droite de l'écran au niveau des onglets de commandes du Ruban.

- Appuyez sur la touche [F1] de votre clavier.

▲ Figure 1.41 : *Fenêtre Aide d'Access*

La navigation dans la fenêtre d'aide d'Access est très proche de la navigation sur le Web. Elle s'effectue par le biais de liens hypertextes. Les informations contenues dans l'aide sont regroupées par thèmes relatifs aux bases de données. En cliquant sur le thème souhaité, vous accédez à un nouveau sommaire présentant tous les articles en rapport avec le thème choisi.

L'aide est installée sur votre ordinateur lors de l'installation du logiciel. Toutefois, vous pouvez accéder à une aide supplémentaire si vous êtes connecté à Internet.

Utiliser l'aide accessible hors connexion Internet

Pour limiter votre recherche au contenu stocké sur votre ordinateur, procédez ainsi :

1. Dans la fenêtre d'aide, cliquez sur la liste déroulante du bouton **Rechercher**.

2. Dans la rubrique **Contenu de cet ordinateur**, sélectionnez l'option **Aide Access**.

3. Pour trouver votre bonheur :

- Utilisez les liens hypertexte pour naviguer dans l'aide.
- Si vous souhaitez effectuer une recherche spécifique, tapez les mots clés dans la zone prévue à cet effet, puis cliquez sur le bouton **Rechercher**.

◄ Figure 1.42 : *Saisie des mots clés*

Utiliser l'aide en ligne du site Microsoft

Si vous êtes connecté à Internet, vous pouvez obtenir de l'aide avec **Microsoft Office Online**. Cette aide vous permet d'avoir accès aux dernières mises à jour et, éventuellement, de télécharger des images ou des modèles présents sur le site de Microsoft. Si vous êtes connecté en continu, c'est le mode de recherche utilisée par défaut.

Si vous voulez forcer la recherche sur Internet, procédez ainsi :

1. Dans la fenêtre d'aide, cliquez sur la liste déroulante du bouton **Rechercher**.

2. Dans la rubrique **Contenu d'Office Online**, sélectionnez l'option **Tout Access**.

3. Pour trouver votre bonheur :

- Utilisez les liens hypertexte pour naviguer dans l'aide en ligne.
- Si vous souhaitez effectuer une recherche spécifique, tapez les mots clés dans la zone prévue à cet effet, puis cliquez sur le bouton **Rechercher**.

Basculer entre l'aide en ligne et hors connexion

À tout moment vous pouvez basculer de l'aide en ligne, à l'aide hors connexion et vice versa. Le menu **État de la connexion** situé en bas et à droite de la fenêtre vous informe continuellement si vous effectuez une recherche hors connexion ou en ligne.

Pour basculer d'un mode de recherche à l'autre, cliquez sur le menu **Etat de la connexion** en bas et à droite de la fenêtre, puis activez l'option souhaitée.

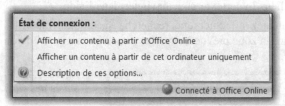

▲ Figure 1.43 : *Choisir l'endroit où chercher de l'aide*

Un conseil : n'hésitez pas à user et à abuser de l'aide.

2

Créer
et gérer
des tables

Nous vous l'avons déjà indiqué, tout au long de cette initiation vous mettrez en place la gestion d'une médiathèque personnelle. Votre médiathèque comprend différents supports tels que des livres, des CD audio, des cassettes vidéo et des DVD. Cette application constituera le support concret d'un grand nombre de fonctionnalités étudiées.

2.1 Étapes à mettre en œuvre

Avant de vous lancer dans la création des différentes tables, une réflexion préalable s'impose. En effet, mettez de côté votre clavier et votre souris. Munissez-vous d'un bon stylo et de quelques feuilles. Reprenez votre réflexion au point où vous l'aviez laissée au chapitre précédent.

Posez-vous certaines questions :

Quels sont les objectifs à atteindre dans l'application à mettre en place ?

De quel sujet traitera la base de données ?

Vous pouvez aussi réfléchir avec plusieurs autres utilisateurs. Définissez ensemble le mode d'utilisation de cette base et les personnes qui y auront accès.

Quelles sont les informations à stocker ? (Notez-les en vrac.)

Pour chaque média, vous avez besoin d'enregistrer le support, le titre, le numéro attribué, l'année de parution, le nom et prénom de l'auteur, la catégorie à laquelle il appartient (policier, aventure, roman, science-fiction, bande dessinée…), l'éditeur, le lieu de rangement, la date et le prix d'achat, un commentaire personnel. Bien sûr, ces informations ne sont pas exhaustives.

Commencez à tracer les esquisses des formulaires de saisie et des rapports souhaités.

Toutes les données sont-elles nécessaires ?

Ne surchargez pas la base de données avec des informations inutiles. Une information devient inutile à partir du moment où elle n'est ni consultée ni exploitée dans la suite des traitements.

Par exemple, il serait superflu de stocker le nombre de pages d'un livre si vous n'utilisez pas l'information par la suite. De même, il n'est pas utile d'enregistrer la durée d'un film. La base de données que vous allez mettre en place sert à recenser tous les médias dont vous disposez et l'endroit où vous les avez rangés. Ce n'est pas un catalogue commercial à mettre à disposition de personnes afin qu'elles fassent leur choix.

Y a-t-il des données résultant d'un calcul ?

En principe, dans une table, vous ne devez pas stocker de données calculées.

Par exemple, imaginons que vous stockiez le prix HT d'un livre et que vous souhaitiez connaître son prix TTC. Nous verrons comment, dans un formulaire, il est simple d'insérer un champ calculé permettant de visualiser le prix TTC de chaque livre sans que celui-ci soit nécessairement stocké dans la table.

Avez-vous toutes les informations nécessaires à la réalisation de rapports, statistiques ou divers traitements ?

Comment allez-vous structurer ces informations, quelles sont les tables à créer ? Essayez de les regrouper par thèmes.

Bien sûr, vous pourriez céder à la facilité en créant une seule table dans laquelle toutes les informations seraient stockées. C'est que vous n'auriez pas compris la philosophie d'Access. En effet, dans votre bibliothèque, vous avez très certainement plusieurs livres écrits par le même auteur ou appartenant au même genre. Ainsi, afin d'éviter la saisie réitérée du même auteur, éditeur, genre ou support, vous créerez plusieurs tables.

Dans un premier temps, pour votre exercice pratique, votre base de données sera composée de six tables : *Auteurs*, *Éditeurs*, *Genres*, *Types de médias*, *Supports* et *Médias*. Vous ajouterez d'autres tables par la suite.

Déterminez à quelle table appartient chaque information. N'oubliez pas qu'une donnée ne peut appartenir qu'à une seule table, sauf lorsqu'il s'agit de la donnée de liaison.

Pour consulter les méthodes de création de ces tables, reportez-vous aux pages 59, 89, 90, 94 et 106.

Repérez le ou les champs contenant une valeur unique qui définira le champ de liaison entre deux tables.

Après cette première réflexion, nous vous suggérons de suivre ces étapes afin d'optimiser la mise en place de votre base de données :

1. Créer les tables.

2. Définir les relations.

3. Affiner la structure. Vérifiez que l'organisation de la base de données est cohérente et essayez de détecter les imperfections qui subsistent. Il est toujours très délicat de modifier la structure d'une base de données après la saisie des données.

4. Créer les formulaires.

5. Saisir les données.

6. Exploiter les données (créer des requêtes, des états, des macros pour automatiser certaines actions).

7. Créer une interface utilisateur (elle consiste essentiellement en la définition d'un formulaire d'accueil, de barres d'outils et de menus personnalisés).

La saisie des données intervient durant la quatrième étape. Cela signifie que le travail de préparation antérieur n'est pas à négliger.

2.2 Créer la structure d'une table

Créer une table en mode Création

Vous allez réaliser votre première table, celle des auteurs. Le mot auteur regroupe les termes d'écrivain pour un livre, d'interprète pour un disque ou de réalisateur pour un film. Procédez ainsi :

1. Ouvrez la base de données *C02-Médiathèque.accdb*.

2. Dans le Ruban, sélectionnez l'onglet **Créer**.

3. Dans le groupe *Table*, cliquez sur le contrôle **Création de table**.

Vous obtenez une nouvelle fenêtre présentant une grille.

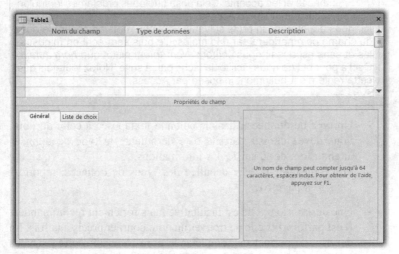

▲ Figure 2.1 : *Affichage d'une table vierge en mode Création*

4. Vous allez maintenant créer votre première table, la table *Auteurs*, et insérer les champs souhaités (six champs, ici). Pour chaque champ, vous devez définir :

– Un nom : il est saisi dans la première colonne *Nom du champ*. Quelques règles doivent être respectées :

■ Vous ne pouvez pas attribuer le même nom à deux champs différents dans la même table.

■ Un champ doit contenir au maximum 64 caractères (lettres, nombres, espaces, etc.).

■ Le point, le point d'exclamation, les crochets ou l'espace avant le nom sont interdits.

■ N'utilisez pas les noms réservés par Access. Voici une liste des principaux noms réservés : name, index, form, type, date, report, etat, com.

Règles à respecter pour nommer les champs

De façon générale, évitez les signes de ponctuation, les espaces et les accents. Cela pose quelques problèmes lorsqu'on utilise les outils avancés d'Access.

Ici, nous adopterons la règle suivante : chaque mot composant le nom du champ commencera par une majuscule puis sera écrit en minuscules et sans espaces : nous écrirons *NomAuteur* plutôt que *nom auteur*. Ceci a pour but de nous faciliter la tâche par la suite. Notez toutefois que cette règle n'est nullement imposée par Access.

– Un type de données : dans la colonne juxtaposée à celle du nom, vous devez choisir dans la liste déroulante le type de données attendu lors de la saisie des informations.

Pour consulter la liste détaillée des types de données, reportez-vous à la page 61.

– Une description : elle est facultative mais fortement recommandée. Il est parfois difficile de trouver un nom court et précis à la fois. La description permet de compléter le nom choisi. En effet, si vous êtes amené à modifier votre application dans quelques mois, vous serez content d'avoir saisi un commentaire dans cette colonne. De plus, cette description s'affichera dans la barre d'état lorsque vous saisirez des données dans ce champ. C'est une aide supplémentaire pour l'utilisateur.

– Des propriétés : chaque champ dispose de propriétés spécifiques. Ces dernières déterminent la façon dont les champs seront remplis par la suite. Les propriétés disponibles sont fonction du type de données sélectionné. Pour le moment, ne vous préoccupez pas de définir les propriétés.

Pour consulter la liste des propriétés les plus couramment employées, reportez-vous à la page 70.

En vous référant à l'image ci-après, saisissez les noms des champs, leurs types de données ainsi que les descriptions indiquées. Ne vous souciez pas des propriétés des champs pour le moment, vous y reviendrez un peu plus tard.

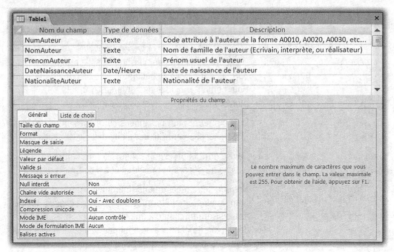

▲ Figure 2.2 : *Champs de la table Auteurs*

Comprendre les différents types de données

Chaque champ d'une table doit être affecté d'un type de données précis. Le type de données détermine l'information qui devra être saisie par l'utilisateur puis stockée dans la table.

Tab. 2.1 : Les onze types de données proposés par Access	
Type de données	**Description**
Texte	Tout texte ou combinaison de caractères alphanumériques (textes et/ou chiffres) d'une longueur maximale de 255 caractères. Cependant, aucun calcul ne pourra être réalisé sur ce type de champ. C'est le paramètre appliqué par défaut.
Mémo	Tout texte d'une longueur maximale de 65 535 caractères. À utiliser principalement pour du texte de plus de 255 caractères ou du texte enrichi. Exemple d'application : notes, commentaires, résumé…

Tab. 2.1 : Les onze types de données proposés par Access

Type de données	Description
Numérique	N'importe quel type de nombre. Dans la propriété *Format*, vous devrez spécifier le type de numérique. Pour consulter la liste des différents formats numériques, reportez-vous à la page 70.
Date/Heure	Date ou heure pour les années comprises entre 100 et 9 999. Access contrôle la validité de la valeur saisie.
Monétaire	Devise dont la précision est portée à 15 chiffres à gauche du séparateur décimal et à 4 chiffres à droite.
NuméroAuto	Nombre séquentiel unique (incrémenté de 1 en 1) ou nombre aléatoire déterminé par Access à chaque nouvel enregistrement ajouté à une table. Les champs affectés de ce type de données ne sont pas accessibles en saisie manuelle et ne peuvent pas être mis à jour. Ce type est souvent utilisé pour les clés primaires.
Oui/Non	Les seules valeurs possibles pour ce champ sont Oui ou Non, Vrai ou Faux. Il est aussi appelé champ logique ou booléen.
Objet OLE	C'est un objet provenant d'une application externe à Access. Cela peut être une photographie, un son, un graphique, etc.
Lien hypertexte	Textes ou combinaison de textes et de nombres utilisés comme hyperliens. Access permet de stocker des adresses web et d'y accéder grâce à un clic sur l'hyperlien.
Pièce jointe	Permet de stocker plusieurs fichiers de différents types. Cela peut être une photo, un CV, un rapport… Ce type de fichier offre deux avantages majeurs : ■ Il stocke le fichier dans son format natif. Par conséquent, il ouvre le fichier joint dans son application parent alors que l'objet OLE ouvre une représentation (image) de l'objet. ■ La place occupée dans la base de données est beaucoup plus faible qu'un objet OLE.

Tab. 2.1 : Les onze types de données proposés par Access	
Type de données	Description
Assistant de liste déroulante	Ce n'est pas, à proprement parler, un type de données. C'est un guide permettant la création d'une liste composée de valeurs à sélectionner par l'utilisateur. Cet outil est très pratique pour la saisie d'informations récurrentes telles que les genres des médias (Comédie, Roman, Policier, etc.) et utile dans la conception des formulaires. Un exemple détaillé est proposé à la page 98.

Définition d'une clé primaire

Une clé primaire est un champ particulier qui permet d'assurer l'unicité d'un enregistrement, de trier la table sur ce champ par défaut et de réaliser les relations sans ambiguïté entre les tables.

Importance de la clé primaire

Il est quasiment impératif de définir une clé simple (lorsque la clé est affectée à un seul champ) ou multiple (lorsque plusieurs champs peuvent être désignés comme clé primaire) à chaque table. La clé multiple est souvent utilisée quand une table est reliée à deux autres tables par une relation un-à-plusieurs (voir plus loin). Il arrive toutefois dans certains cas (très rares) qu'aucune clé ne soit utile au système.

Quand une clé primaire a été choisie dans une table, Access empêche que des doublons et des valeurs Null (aucune saisie effectuée) ne soient entrés dans le champ *Clé primaire*.

Prenons un exemple. Dans une table, on attribue généralement la clé primaire au champ contenant un code. On ne doit jamais attribuer la clé à un champ *Nom* car le fichier peut contenir plusieurs noms (d'auteurs ou de clients par exemple) identiques. Un très bon exemple de clé primaire, dans une table gérant des salariés d'une entreprise, est le numéro de sécurité sociale. Ce dernier garantit l'unicité pour chaque salarié. Dans la table *Auteurs*, la clé sera portée par le champ *NumAuteur*.

Affecter une clé primaire à un champ

La clé primaire joue un rôle très important dans une table ; elle évite la saisie des doublons et permet de relier la table en cours avec une ou plusieurs autres tables. C'est pourquoi il convient de bien choisir le ou les champs auxquels il est judicieux d'affecter la clé primaire.

Affecter une clé primaire à un seul champ

Vous affecterez la clé primaire au champ *NumAuteur* de la table *Auteurs*. Procédez ainsi :

1. Positionnez-vous dans le champ auquel vous souhaitez attribuer la clé primaire, c'est-à-dire le champ *NumAuteur*.

2. Sélectionnez l'onglet contextuel **Création** situé sous l'onglet **Outils de table** (en principe, si vous êtes en mode Création de table, c'est déjà sélectionné).

3. Dans le groupe *Outils*, cliquez sur le contrôle **Clé primaire**.

La clé apparaît immédiatement dans le sélecteur de champ.

Une variante consiste à cliquer du bouton droit dans la ligne contenant le champ *Clé primaire* puis à cliquer sur la commande **Clé primaire**.

Affecter une clé primaire à plusieurs champs

Il arrive que l'attribution d'une clé primaire à un seul champ ne garantisse pas l'unicité de l'enregistrement. Par conséquent, c'est la combinaison de plusieurs champs qui définira la clé primaire. On parle de clé primaire multichamp.

Lorsque la structure de la base de données *Médiathèque* (correspondant aux objectifs imposés au départ) sera finalisée, vous ajouterez un nouveau module qui consistera à gérer le suivi des emprunts de vos différents médias par vos amis. Vous vous trouverez alors en présence du cas de clé primaire multichamp. En effet, les informations relatives à un emprunt concernent le code du média emprunté, le code de l'ami ayant effectué l'emprunt, la date d'emprunt et la date de retour du média. Dans les champs cités, aucun ne garantit le caractère unique de l'information car un code média pourra être emprunté plusieurs fois et un code ami pourra emprunter plusieurs médias, à différentes dates. En revanche, l'association code média et code ami définit un couple unique, en admettant que l'ami ne vous emprunte qu'une seule fois le même média. Si vous souhaitez tenir compte de cette dernière réflexion, il faudra affecter la clé primaire à la combinaison de champs *Code média*, *Code ami* et *Date d'emprunt*.

Pour créer une clé multichamp :

1. Sélectionnez les lignes correspondant aux champs. Utilisez la touche Ctrl si les lignes ne sont pas contiguës.

2. Cliquez sur le contrôle **Clé primaire**.

Pour le moment, gardez cette procédure dans un coin de votre mémoire, vous l'appliquerez en temps utile.

Supprimer une clé primaire

Si vous vous apercevez que la clé n'est pas affectée au bon champ, il est possible de la supprimer et de l'attribuer à un ou plusieurs autres champs. Pour ce faire :

1. Positionnez-vous dans le champ contenant la clé primaire (faites un essai sur le champ *NumAuteur*).

2. Cliquez sur le contrôle **Clé primaire** du groupe *Outils*. La clé, présente dans le sélecteur à gauche du nom du champ, disparaît.

Suppression impossible

Si une relation existe entre la clé primaire de cette table et le champ d'une autre table, vous ne pourrez pas supprimer la clé primaire attribuée au champ de cette table.

3. Affectez de nouveau la clé primaire au champ *NumAuteur*.

Sauvegarder une table

Une fois la structure établie ou dès que vous modifiez la structure d'une table, il convient d'enregistrer cette table. Pour cela :

1. Dans la barre d'outils *Accès rapide*, cliquez sur l'outil **Enregistrer**.

Si la table a déjà été enregistrée une première fois (elle est donc déjà nommée), les modifications sont automatiquement prises en compte sans autre demande particulière. Mais si vous enregistrez la table pour la première fois, la boîte de dialogue **Enregistrer sous** apparaît.

2. Saisissez le nom de la table, par exemple T_Auteurs, et validez par OK.

Si vous n'avez pas affecté de clé primaire à un des champs de la table, un message apparaît, vous indiquant cet oubli.

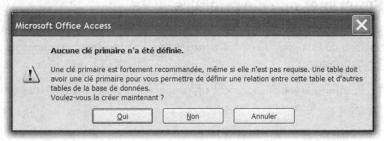

▲ Figure 2.3 : *Message indiquant la non-attribution d'une clé primaire à un champ*

■ Si vous ne souhaitez pas qu'Access définisse la clé primaire à votre place, cliquez sur le bouton **Non** et poursuivez la procédure ; vous reviendrez ultérieurement appliquer la clé.

■ Si vous souhaitez, malgré tout, appliquer immédiatement la clé, sachez qu'en cliquant sur le bouton **Oui**, Access crée un nouveau champ *N°* dont le type de données est *NuméroAuto*.

C'est pourquoi avant la sauvegarde, prévoyez autant que possible le champ qui doit jouer le rôle de clé primaire. Cela évitera ce message et vous permettra d'exercer un contrôle total sur la création de vos tables.

Nommer efficacement une table

Access vous autorise à attribuer n'importe quel nom à votre table. Cependant, nous vous conseillons, comme dans le cas des champs, d'adopter deux règles (non imposées par Access) :

- Toutes les tables commenceront par les caractères "T_" suivis du nom explicite de la table.
- Dans la mesure du possible, nous les orthographierons au pluriel (*T_Auteurs*, *T_Editeurs*, etc.) car elles contiennent plusieurs enregistrements.

Nous appliquerons les mêmes règles pour une requête, un formulaire, un état ou une macro.

Fermer une table

1. Positionnez-vous n'importe où dans la table à fermer. Choisissez la table *T_Auteurs*.

2. Cliquez sur la case *Fermer* de la fenêtre ou faites un clic droit sur l'onglet de document correspondant à la table à fermer, puis activez la commande **Fermer**.

◄ Figure 2.4 :
*Fermer la table
souhaitée via le
menu contextuel*

Si aucune modification de structure n'a été apportée à la table, celle-ci se ferme. Si des modifications ont été effectuées, un message vous demandant de confirmer ces changements apparaît. À vous de choisir si vous acceptez ou non ces transformations. Pour la table *T_Auteurs*, cliquez sur le bouton **Oui** si nécessaire.

Ouvrir une table existante en mode Création

Au début d'un projet, il est souvent nécessaire d'affiner la structure des tables et d'apporter des améliorations afin d'optimiser le bon fonctionnement de votre base de données. Pour cela :

1. Dans le volet de navigation, déroulez le groupe *Tables*.

2. Faites un clic du bouton droit sur la table à ouvrir et activez la commande **Mode Création** du menu contextuel.

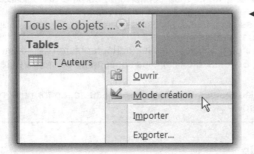

◄ Figure 2.5 :
Ouverture d'une table en mode Création

Passer du mode Création au mode Feuille de données

À tout moment, vous pouvez souhaiter visualiser en mode de saisie ce qu'entraînent les modifications réalisées au niveau de la structure de la table. Il s'agit alors de basculer en mode Feuille de données, pour effectuer des tests par exemple. Procédez ainsi :

1. Ouvrez une table en mode Création.

2. Cliquez directement sur le contrôle **Affichage** et non sur le bouton fléché de ce contrôle.

3. Acceptez éventuellement l'enregistrement de la table si une boîte de dialogue vous le demande.

Se repérer dans la fenêtre en mode Feuille de données

Afin de maîtriser le mode Feuille de données, observez les différents éléments qui composent cette fenêtre.

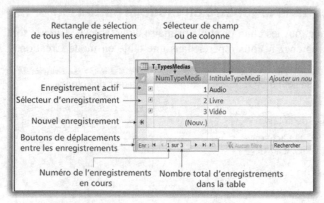

▲ Figure 2.6 : *Les différents éléments d'une table en mode Feuille de données*

Ouvrir une table existante en mode Feuille de données

Si vous souhaitez saisir des données dans les tables, bien qu'il ne s'agisse pas du mode de saisie idéal :

1. Dans le volet de navigation, positionnez-vous dans l'objet tables.

2. Double-cliquez sur la table à ouvrir. Par exemple, double-cliquez sur la table *T_Auteurs* et fermez cette table après le test.

Passer du mode Feuille de données au mode Création

Vous pouvez également appeler le mode Création depuis le mode Feuille de données, si vous souhaitez apporter une modification à la structure de la table ou simplement visualiser certaines propriétés. Pour cela :

1. Ouvrez une table en mode Feuille de données. Ouvrez la table *T_Auteurs*.

2. Cliquez directement sur le contrôle **Affichage** et non sur le bouton fléché de ce contrôle.

2 Créer et gérer des tables

Se repérer dans la fenêtre en mode Création

Maintenant que tous les champs et clé primaire de la table *T_Auteurs* sont déterminés, apprenez à vous repérer dans une table en mode Création.

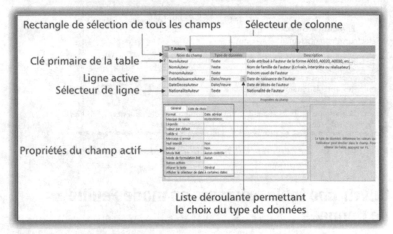

▲ Figure 2.7 : *Les différents éléments d'une table en mode Création*

Comprendre les propriétés de champs

Arrêtons-nous un moment et observons les nombreuses propriétés offertes par Access. Comme nous l'avons déjà indiqué, ces propriétés varient en fonction du type de données sélectionné. Cette initiation n'a pas pour but de vous fournir une liste exhaustive des propriétés disponibles. Nous indiquons uniquement ici les plus utilisées et vous fournissons une brève explication. Pour plus de détails, n'hésitez pas à consulter l'aide fournie par Access.

Tab. 2.2 : Description de quelques propriétés utiles

Nom de la propriété	Description
Taille du champ (pour un champ de type *Texte*)	C'est le nombre maximal de caractères pouvant être saisis par l'utilisateur.

Tab. 2.2 : Description de quelques propriétés utiles

Nom de la propriété	Description
Taille du champ (pour un champ de type *Numérique*)	Permet de spécifier le type de nombre attendu. Les choix disponibles sont : Octet : stocke un nombre entier entre 0 et 255. Entier : stocke un nombre entier entre -32 768 et 32 767. Entier long : stocke un nombre entier entre -2 147 483 648 et 2 147 483 647. Réel simple : stocke un nombre réel entre -3,402 823^{E}38 et 3,402 823^{E}38 dont la précision atteint 6 chiffres.
Format	Définit la façon dont les données saisies doivent être affichées. Par exemple, pour un champ de type *Texte*, si vous souhaitez qu'un nom de ville soit affiché en majuscules (même si celui-ci a été saisi en minuscules), vous saisirez le symbole > dans la propriété *Format*. De même, le symbole < affiche tous les caractères en minuscules. Plusieurs choix sont disponibles pour afficher le contenu d'un champ de type *Date/Heure*. Par exemple, vous avez saisi 30/10/2006. Après validation, vous pouvez le visualiser sous les formes lundi 30 octobre 2006 (Date complet) ou 30-oct-06 (Date réduit).
Légende	Si, en mode Feuille de données, en en-tête de colonne, vous ne souhaitez pas visualiser le nom du champ tel qu'il a été saisi en mode Création, saisissez un autre nom dans cette propriété. Le nom attribué au champ sera remplacé en mode Feuille de données par le nom saisi en légende. Exemple : vous avez nommé un champ *NomAuteur*. Saisissez Nom de l'auteur dans la propriété *Légende* afin que l'utilisateur se familiarise avec cette dénomination. Cette propriété ne présente pas réellement d'intérêt, mais sachez qu'elle existe.
Valeur par défaut	Spécifie une valeur qui sera automatiquement insérée dans le champ dès la création d'un nouvel enregistrement. L'utilisateur pourra accepter cette valeur ou en saisir une autre. C'est un gain de temps quand un champ contient souvent la même valeur. Exemple : vous avez créé un champ *Civilite* dont les valeurs les plus courantes sont Monsieur, Madame, Mademoiselle. Dans votre fichier, vous savez déjà qu'il y aura plus d'hommes que de femmes. Dans *Valeur par défaut*, saisissez Monsieur. Vous aurez à modifier le contenu du champ uniquement lors de la saisie des civilités de femmes.

Tab. 2.2 : Description de quelques propriétés utiles

Nom de la propriété	Description
Valide si	Permet de contrôler la saisie effectuée dans le champ et d'imposer certaines contraintes. Exemple : si vous souhaitez que dans un champ *MontantHT* la valeur saisie soit strictement positive, entrez alors >0 dans la propriété du champ.
Message si erreur	Si la règle entrée dans la propriété *Valide si* n'a pas été respectée, vous pouvez indiquer ici un message à afficher. Exemple : dans le cas précédent, vous pourriez faire apparaître le message suivant "Le montant HT doit être strictement positif" (sans les guillemets).  Si une erreur est commise lors de la saisie, le message se présentera de la façon suivante : 
Null interdit	Indique si une valeur est requise dans ce champ pour chaque enregistrement. Si vous choisissez Oui, vous devrez obligatoirement entrer une valeur et il vous sera impossible, par la suite, de la supprimer. Si tel est le cas, Access enverra un message vous informant qu'il est nécessaire de saisir une valeur.

Tab. 2.2 : Description de quelques propriétés utiles

Nom de la propriété	Description
Indexé	Le rôle d'un index est d'accélérer les recherches et les tris dans les tables. Il indique également si la même valeur peut être saisie dans plusieurs enregistrements d'un même champ. Trois choix sont possibles : "Non", "Oui - avec doublons" et "Oui - sans doublons". Cependant, il ne faut pas abuser de cette propriété car elle ralentit les différents traitements et peut alourdir inutilement la taille de la base de données. Quand une clé primaire est appliquée à un champ, cette propriété prend pour valeur "Oui - sans doublons". L'index est donc incontournable dans le cas de la clé primaire. Vous pouvez appliquer un index sur un ou plusieurs champs.

remarque

Modifier les propriétés d'un champ

Pour modifier les propriétés d'un champ, il faut au préalable vous positionner en mode Création de table et sélectionner le champ concerné. Vous pouvez ensuite opérer les modifications souhaitées.

Afin de mettre en œuvre la théorie précédente, appliquez à la table *T_Auteurs* les propriétés indiquées dans le tableau ci-après. À l'issue de vos manipulations, enregistrez et fermez la table *T_Auteurs*.

Tab. 2.3 : Liste des propriétés affectées au champ de la table T_Auteurs

Champ	Propriété	Contenu
NumAuteur	Taille du champ	4
NomAuteur	Taille du champ	25
	Format	>
	Null interdit	Oui
PrenomAuteur	Taille du champ	20
DateNaissanceAuteur	Format	Date, abrégé

Tab. 2.3 : Liste des propriétés affectées au champ de la table T_Auteurs		
Champ	Propriété	Contenu
NationaliteAuteur	Taille du champ	20

Ne vous inquiétez pas si le bouton **Options de mise à jour des propriétés** s'affiche lorsque vous passez à la ligne suivante. Continuez à modifier les propriétés de champs, ce bouton disparaîtra comme il est apparu.

Pour désactiver l'affichage du bouton **Options de mise à jour des propriétés** :

1. Cliquez sur le bouton **Office**.

2. Cliquez sur le bouton de commande **Options Access** en bas à droite de la fenêtre.

3. Dans le volet situé à gauche de la fenêtre, sélectionnez la catégorie *Concepteurs d'objets*.

4. Dans la rubrique *Création de table*, décochez la case *Afficher les boutons d'options de mise à jour des propriétés*. Puis cliquez sur le bouton OK pour valider la modification.

Bien définir le type de données et la taille du champ

Il est conseillé de bien choisir son type de données et la dimension du champ. Il s'agit d'être ni trop avare (ne pas limiter le contenu à saisir) ni trop généreux (éviter l'encombrement inutile de votre disque).

Étudier la propriété Masque de saisie

C'est une aide à la saisie. Cette propriété permet d'harmoniser les contenus d'un champ. Elle est utile pour des valeurs qui nécessitent d'être toutes structurées de la même façon. Elle permet ainsi de contrôler la saisie des données. Le masque de saisie force l'utilisateur à entrer les données selon un format déterminé.

Dans un champ *NumTelephone*, vous voulez imposer à l'utilisateur de saisir le numéro de téléphone de la façon suivante : 02.40.50.60.70 (avec des points séparateurs) ou 02 40 50 60 70 (avec des espaces séparateurs). L'utilisateur doit impérativement entrer des chiffres (surtout pas de lettres) ainsi que des points ou des espaces entre chaque série de deux chiffres. Vous lui faciliterez la tâche en paramétrant un masque de saisie.

Ce paramétrage comprend trois parties :

■ La première définit le masque de saisie lui-même. Cette section est obligatoire.

■ La deuxième indique si les caractères du masque (pour notre exemple les points ou les espaces) doivent être stockés dans la table. Choisissez 0 pour que les caractères du masque soient enregistrés et 1 ou aucune valeur pour que seuls les caractères saisis (dans notre exemple les chiffres) soient stockés.

■ La troisième détermine le symbole à afficher, à la place des espaces, au cours de la saisie.

Utiliser l'assistant pour créer un masque de saisie sur un champ de type Date/Heure

Le plus simple est de se laisser guider dans la création d'un masque. Quand vous aurez compris l'utilité du masque et son fonctionnement, vous pourrez vous lancer seul dans sa conception.

Dans la table *T_Auteurs*, vous allez créer un masque de saisie sur le champ *DateNaissanceAuteur*. Pour cela :

1. Ouvrez la table *T_Auteurs* en mode Création.

2. Sélectionnez le champ sur lequel vous souhaitez appliquer le masque : *DateNaissanceAuteur*.

3. Cliquez dans la propriété *Masque de saisie* puis sur le bouton représenté par trois points à droite de la ligne.

DateNaissanceAuteur	Date/Heure	Date de naissan
NationaliteAuteur	Texte	Nationalité de l'

Propriétés du champ

Général	Liste de choix	
Format	Date, abrégé	
Masque de saisie		⋯
Légende		
Valeur par défaut		

▲ Figure 2.8 : *Exécution de l'Assistant Masque de saisie*

L'assistant se déclenche.

4. Si vous avez déjà apporté des modifications à la structure de la table, un message vous informe qu'il est nécessaire de les enregistrer. Cliquez sur le bouton **Oui**. Sinon, passez à l'étape suivante.

Une nouvelle boîte de dialogue apparaît. Les masques qu'elle présente dépendent du type de données affecté au champ. Laissez-vous ensuite guider par l'assistant.

5. Cliquez sur l'option *Date, abrégé* puis sur le bouton **Suivant**.

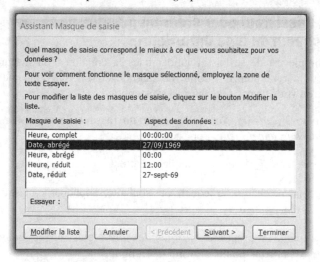

▲ Figure 2.9 : *Liste des masques de saisie correspondant au type de champ Date/Heure*

6. En règle générale, il est inutile de modifier les options proposées dans cette étape. Éventuellement, effectuez le test de saisie, puis cliquez sur le bouton **Suivant**.

7. À la dernière étape, cliquez sur le bouton **Terminer**.

Le code suivant 00/00/0000;0;_ s'inscrit dans la propriété du masque.

▲ Figure 2.10 : *Codage du masque de saisie dans la table*

Utiliser l'assistant pour créer un masque de saisie sur un champ de type Texte

Dans la table *T_Auteurs*, créez pour vous entraîner un nouveau champ contenant le numéro de téléphone de l'auteur. Nommez ce champ *TelAuteur*. Attribuez-lui le type de données *Texte*.

Avant de démarrer l'assistant, sachez que les champs *Numéro de téléphone*, *Numéro de fax* ou *Code postal* sont toujours affectés à des données de type *Texte*. Cela peut vous paraître étrange car ce sont des chiffres que vous saisissez. Vous choisirez toujours le type *Texte* pour deux raisons :

■ Vous n'effectuez pas de calcul sur ce type de champ.

■ Tous les numéros de téléphone en France commencent par 0. Or le 0 est toujours tronqué lorsqu'un champ numérique débute par 0.

Pour un numéro de téléphone, comptez 14 caractères (les 10 chiffres plus les 4 espaces séparateurs). Dans la propriété *Taille* de ce champ *TelAuteur*, saisissez 14.

Vous allez, maintenant, créer un masque de saisie sur le champ *TelAuteur*. Pour cela :

1. Sélectionnez le champ *TelAuteur*.

2. Cliquez dans la propriété *Masque de saisie* puis sur le bouton représenté par trois points à droite de la ligne.

Si vous avez déjà apporté des modifications à la structure de la table, un message vous informe qu'il est nécessaire de les enregistrer. Cliquez sur le bouton **Oui**. Sinon, passez à l'étape suivante.

L'assistant se déclenche et une nouvelle boîte de dialogue s'affiche. Les masques qu'elle présente dépendent du type de données *Texte* affecté au champ *TelAuteur*. Laissez-vous ensuite guider par l'assistant.

3. Sélectionnez l'option *Numéro de téléphone* puis cliquez sur le bouton **Suivant**.

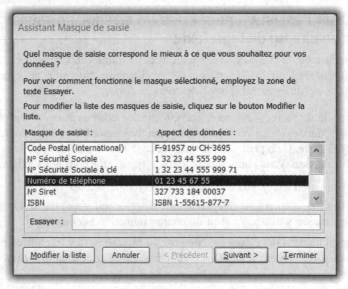

▲ Figure 2.11 : *Liste des masques de saisie correspondant au type de champ Texte*

4. Comme dans la procédure précédente, acceptez les informations saisies, effectuez éventuellement le test, puis cliquez sur le bouton **Suivant**.

Test du masque de saisie

Lors du test, remplissez bien tous les traits de soulignement, sinon un message d'erreur s'affichera. Quand vous serez habitué à cette manipulation, vous n'aurez plus besoin de tester le masque.

5. Dans cette nouvelle étape, préférez l'option *Avec les symboles dans le masque*. Comme nous l'expliquions plus haut, cela indique à Access de stocker les chiffres et les espaces séparateurs. Cliquez sur le bouton **Suivant**.

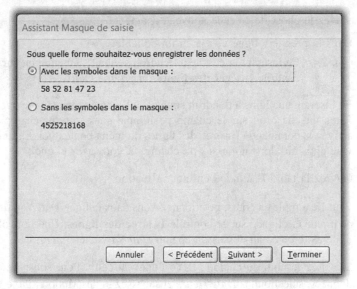

▲ Figure 2.12 : *Choix de l'option d'enregistrement avec ou sans les symboles*

6. Cliquez sur le bouton **Terminer**.

Le nouveau code obtenu s'inscrit ainsi 00\ 00\ 00\ 00\ 00;0;_ dans la propriété du masque, après validation.

Quand doit-on définir un masque de saisie ?

Appliquez un masque à des champs tels qu'un numéro de téléphone, de fax, un code postal, une date, un numéro de sécurité sociale, un numéro de SIRET, etc.

Ajouter un champ

Dans la table *T_Auteurs*, vous allez ajouter le nouveau champ *Date de décès de l'auteur*.

Vous avez le choix de créer le nouveau champ :

- Dans la première ligne vierge en fin de table.
- En insérant une ligne à l'endroit souhaité, en cliquant sur le contrôle **Insérer des lignes** du groupe *Outils*.

- En insérant une ligne à l'endroit souhaité à l'aide du menu contextuel : faites un clic droit sur le champ positionné sous le futur champ et activez la commande **Insérer des lignes** du menu contextuel. La ligne vide apparaît alors au-dessus du champ où vous avez cliqué.

1. Ouvrez la table *T_Auteurs* en mode Création.

2. Pour l'exemple en cours, positionnez-vous dans la ligne *DateNaissanceAuteur* et cliquez sur le contrôle **Insérer des lignes**. Une nouvelle ligne est ajoutée au-dessus du champ *DateNaissanceAuteur*.

3. Saisissez le nom du champ : Date Décès Auteur. Pour son type de données, sélectionnez *Date/Heure* et saisissez la description : Date de décès de l'auteur.

4. Attribuez d'éventuelles propriétés au nouveau champ *Date Décès Auteur*.

- – Sélectionnez *Date, abrégé* dans la propriété *Format* du champ.
- – Appliquez le masque de saisie *Date, abrégé* à la propriété *Masque de saisie* du champ.

5. Enregistrez la nouvelle structure de la table en cliquant sur l'outil **Enregistrer** de la barre d'outils *Accès rapide*.

Changer le nom d'un champ

Vous allez renommer le champ *Date Décès Auteur* en *DateDecesAuteur*, afin de respecter les conventions établies plus haut en page 59. Procédez ainsi :

1. Sélectionnez le libellé du champ à renommer, *Date Décès Auteur*. Le libellé doit apparaître en surbrillance.

2. Saisissez directement le nouveau nom du champ : DateDecesAuteur. Enregistrez la nouvelle structure de la table.

Modifications des propriétés d'un champ

Il vous est possible de modifier les propriétés des champs. Évitez toutefois de changer le type de données d'un champ après enregistrement de la table. Toutes les modifications ne sont pas acceptées par Access. Par exemple, il est impossible de transformer un champ de type *Texte* en type *NuméroAuto*. Certaines transformations sont acceptées mais peuvent engendrer des suppressions de données.

Déplacer un champ dans une table

Vous allez déplacer le champ *DateDecesAuteur* sous le champ *DateNaissanceAuteur*. Pour cela :

1. Cliquez sur le sélecteur (à gauche) du champ à déplacer afin de sélectionner la totalité de la ligne. Le pointeur a la forme d'une flèche horizontale noire. Sélectionnez la ligne contenant le champ *DateDecesAuteur*.

2. Après le clic, le pointeur se transforme en une flèche blanche. Effectuez un cliquer-glisser de la ligne vers sa nouvelle position. Cliquez sur le champ *DateDecesAuteur* et faites-le glisser sous le champ *DateNaissanceAuteur*.

Supprimer un champ

Dans la table *T_Auteurs*, supprimez le champ *TelAuteur* créé précédemment.

Pour supprimer un champ, appliquez l'une des deux méthodes suivantes :

1. Cliquez avec le bouton droit n'importe où dans la ligne contenant le champ à supprimer.

2. Dans le menu contextuel, cliquez sur la commande **Supprimer les lignes**.

◄ Figure 2.13 :
Supprimer des lignes de champ par le menu contextuel

ou

1. Positionnez-vous n'importe où dans la ligne contenant le champ à supprimer.

2. Cliquez sur le contrôle **Supprimer les lignes** du Ruban.

Plusieurs cas sont à considérer :

■ Si la table ne contient aucun enregistrement et si le champ n'est pas une clé primaire, il est supprimé sans message de confirmation. C'est le cas du champ *NumTel*.

■ Si la table ne contient aucun enregistrement et si le champ est une clé primaire, le message suivant apparaît :

▲ Figure 2.14 : *Suppression d'un champ affecté d'une clé primaire*

Acceptez la suppression en cliquant sur le bouton **Oui**.

■ Si des données ont déjà été saisies et si le champ n'est pas une clé primaire, le message suivant apparaît :

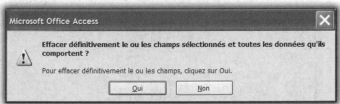

▲ Figure 2.15 : *Confirmation de la suppression d'un ou de plusieurs champs*

Validez en cliquant sur le bouton **Oui**.

■ Si des données ont déjà été saisies et si vous supprimez un champ de type *Clé primaire*, le message précédent apparaît. Validez en cliquant sur le bouton **Oui**.

Un second message apparaît concernant la suppression d'un champ affecté d'une clé primaire. Acceptez la suppression en cliquant sur **Oui**.

Ajouter une description à une table

Le nom attribué à la table doit toujours être le plus concis possible, c'est-à-dire à la fois court et évocateur. Il est parfois difficile de concilier les deux. Aussi, vous pouvez décider d'ajouter un commentaire plus explicite. Procédez ainsi :

1. Assurez-vous que la table est fermée. Fermez la table *T_Auteurs* si nécessaire.

2. Dans le volet de navigation, affichez la liste des tables.

3. Cliquez du bouton droit sur la table où le commentaire doit être inséré. Cliquez du bouton droit sur la table *T_Auteurs*.

4. Dans le menu contextuel, sélectionnez la commande **Propriétés de la table**.

5. Saisissez le commentaire Liste des coordonnées des auteurs dans la rubrique *Description*.

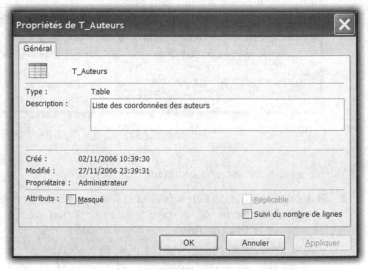

▲ Figure 2.16 : *Description attribuée à la table T_Auteurs*

6. Cliquez sur le bouton OK.

Pour visualiser ce commentaire, activez de nouveau la commande **Propriétés de la table** du menu contextuel appliqué à la table en question.

Renommer une table

Vous allez renommer la table *T_Auteurs* en *T_Ecrivains*. Procédez ainsi :

1. Assurez-vous que la table à renommer est bien fermée.

2. Dans le volet de navigation, affichez la liste des tables.

3. Cliquez du bouton droit sur la table à renommer. Faites un clic droit sur la table *T_Auteurs*.

4. Dans le menu contextuel, sélectionnez la commande **Renommer**.

Le nom de la table apparaît en surbrillance, encadré d'une bordure bleue.

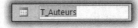

◄ Figure 2.17 :
Table T_Auteurs en surbrillance

5. Saisissez directement au clavier le nouveau nom, soit `T_Ecrivains`.

6. Validez en appuyant sur la touche `Entrée` de votre clavier.

7. Attribuez de nouveau le nom *T_Auteurs* à la table *T_Ecrivains*.

Copier une table

Vous pouvez copier une table pour différentes raisons :

- Vous souhaitez créer une nouvelle table dont la structure est très proche d'une table existante. Plutôt que de recommencer la création, vous prenez pour base la table déjà créée et apportez des modifications à la copie.

- Vous décidez de supprimer des enregistrements dans une table. Par exemple, vous vous êtes constitué un fichier client qui devient très important et certains enregistrements vous paraissent désormais inutiles. Étant malgré tout prévoyant, vous pensez copier la table actuelle afin d'archiver les données. Vous gardez ainsi une trace de tous vos clients. Puis dans la table d'origine, vous ferez, dans la mesure du possible, un peu de ménage.

Vous allez réaliser une copie de la table *T_Auteurs*. Pour cela :

1. Cliquez sur la table *T_Auteurs* à copier.

2. Dans l'onglet **Accueil**, cliquez sur le contrôle **Copier** ou activez la commande **Copier** du menu contextuel (clic droit sur la table à copier).

3. Dans l'onglet **Accueil**, cliquez sur le contrôle **Coller** ou activez la commande **Coller** du menu contextuel (clic droit n'importe où dans le groupe *Tables* du volet de navigation).

4. Saisissez le nom à attribuer à la copie dans la boîte de dialogue **Coller la table sous**. Nommez cette copie *T_CopieAuteurs*.

   – Si vous êtes dans le premier cas énoncé plus haut (récupération uniquement de la structure de la table), cochez l'option *Structure seulement*.
   – Si vous êtes dans le deuxième cas (archivage de données), laissez l'option *Structure et données* cochée.
   – La troisième option permet d'ajouter les données d'une table à une table déjà existante. Cela implique que les deux tables aient la même structure.
   – Si aucune donnée n'a été saisie, l'option choisie n'a aucune importance.

   Pour votre exemple, conservez l'option *Structure et données* cochée.

5. Cliquez sur le bouton OK.

▲ Figure 2.18 : *Copie et collage d'une table*

Supprimer une table

Vous allez supprimer la table *T_CopieAuteurs*. Procédez ainsi :

1. Assurez-vous que la table à supprimer est bien fermée.

2. Dans le volet de navigation, affichez la liste des tables.

3. Cliquez sur la table à supprimer, *T_CopieAuteurs*, afin de la sélectionner.

4. Appuyez sur la touche (Suppr) de votre clavier ou activez la commande **Supprimer** du menu contextuel (clic droit sur la table à supprimer).

5. Dans la boîte de dialogue qui s'affiche, cliquez sur le bouton **Oui** si vous souhaitez réellement supprimer la table ou sur le bouton **Non** si vous décidez d'annuler votre action. Dans le cas présent, cliquez sur le bouton **Oui**.

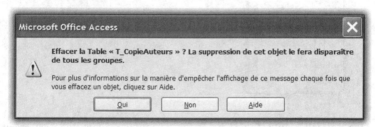

▲ Figure 2.19 : *Supprimer la table sélectionnée*

Suppression d'une table par erreur

Cliquez immédiatement sur l'outil **Annuler** de la barre d'outils *Accès rapide* ou utilisez la combinaison de touches (Ctrl)+(Z). Vous pouvez annuler les vingt dernières actions effectuées.

Créer une table à partir d'un modèle

Access vous propose une liste de tables "prédéfinies" pour créer une table concernant des Contacts, des Tâches, des Problèmes, des Evénements ou des Biens. Dans la mesure où l'une de ces tables correspond, en partie, à votre besoin, n'hésitez pas à utiliser l'un de ces modèles comme point de départ de votre conception de table.

Dans cette section, vous créerez une deuxième table basée sur le modèle *Contacts*. Procédez ainsi :

1. Sélectionnez l'onglet **Créer**.

2. Dans le groupe *Tables*, cliquez sur le contrôle **Modèles de tables**. Puis sélectionnez le modèle souhaité. Pour notre exemple, sélectionnez le modèle *Contacts*.

◄ Figure 2.20 :
Choix d'un modèle de table

Une nouvelle table *Table1* basée sur le modèle sélectionné est créée et s'affiche immédiatement à l'écran en mode Feuille de données.

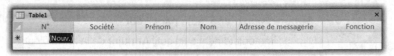

▲ Figure 2.21 : *Nouvelle table créée sur le modèle de table Contacts*

Vous pouvez désormais utiliser cette table telle qu'elle apparaît ou lui apporter des modifications. Il faudra également penser à l'enregistrer sous un nom évocateur.

Pour la poursuite de notre étude, fermez cette table sans l'enregistrer.

Application pratique : créer la table T_TypesMedias

Dans cette section, vous allez concevoir votre deuxième table en mode Création, vous permettant ainsi de mettre en application la procédure étudiée précédemment en page 58. Cette table contiendra des données correspondant aux différents types de médias stockés dans votre médiathèque (Audio, Livre et Vidéo). Elle contiendra donc deux champs *NumTypeMedia* et *IntituleTypeMedia*.

1. Créez la table *T_TypesMedias* (en mode Création) en appliquant les consignes énoncées dans le tableau ci-dessous.

Tab. 2.4 : Liste des champs de la table T_TypesMedias				
Nom du champ	Type de données	Description	Taille du champ	Clé primaire
NumTypeMedia	Numéro Auto	Numéro automatiquement affecté au type de média		Oui
IntituleTypeMedia	Texte	Intitulé complet du type de média	10	Non

2. Enregistrez cette table sous le nom *T_TypesMedias*.

Vous trouverez la base de données, telle qu'elle doit se présenter à ce stade de notre étude, sous le nom *C02-Médiathèque02.accdb*, en la téléchargeant sur notre site à l'adresse www.microapp.com.

Saisir des données dans une table

Une fois n'est pas coutume, vous allez saisir vos premières données dans la table *T_TypesMedias*. Rappelons deux raisons qui ne doivent pas vous inciter à entrer les données trop rapidement et à utiliser les tables comme moyen de saisie :

■ Il n'est pas recommandé de saisir des informations dans une table tant que toutes les tables ne sont pas définitivement créées et surtout tant que les relations entre tables n'ont pas été définies.

■ La table n'est pas un objet qui facilite la saisie des données pour un utilisateur néophyte. L'objet formulaire représente l'outil idéal de saisie des informations pour n'importe quel utilisateur en proposant une interface beaucoup plus intuitive qu'une table.

Néanmoins, il peut être intéressant d'utiliser parfois cette possibilité. Procédez ainsi :

1. Ouvrez une table en mode Feuille de données. Choisissez la table *T_TypesMedias*.

2. Placez le curseur dans la première ligne vide et dans le premier champ de saisie. Dans la table *T_TypesMedias*, le premier champ *NumType-Media* se remplit automatiquement. Cliquez dans le champ *IntituleTy-peMedia*.

3. Saisissez la donnée souhaitée : `Audio`.

4. Passez au champ suivant ou à l'enregistrement suivant en appuyant sur la touche de tabulation `Tab`, sur la touche `Entrée` ou en cliquant dans le champ (dernière solution moins performante).

5. Saisissez les données de l'écran ci-après :

◄ Figure 2.22 :
Données de la table T_TypesMedias

Créer une table en entrant des données

Abordons maintenant une dernière façon de créer une table. La procédure énoncée ci-après vous permettra de réaliser la table *Supports*. Par exemple, un film peut être stocké sur une K7 VHS, sur CD-ROM ou encore sur DVD-ROM. Cela signifie que pour un type de média (audio, livre ou vidéo), vous avez au moins trois supports possibles. De même, un album de musique peut être enregistré sur une K7 audio ou un CD-ROM.

En revanche, le type de média livre aura également comme support le livre. Cette table contient donc trois champs : le numéro du support, le code du type de média auquel il appartient et son libellé. Par conséquent, les différents types de supports stockés dans votre médiathèque peuvent être : des K7 audio ou vidéo, des CD-ROM, des DVD-ROM ou des livres. Le code du type de média est nécessaire pour établir une relation entre la table *T_TypesMedias* et *T_Supports*. Pour le moment, nous ne nous intéresserons qu'aux champs *NumSupport* et *IntituleSupport*. Nous verrons une méthode pour insérer un champ multivaleur en page 103.

1. Sélectionnez l'onglet **Créer**.

2. 🔲 Dans le groupe *Tables*, cliquez sur le contrôle **Table**.

   Une nouvelle table *Table1* vide contenant deux champs est créée et s'affiche immédiatement à l'écran en mode Feuille de données.

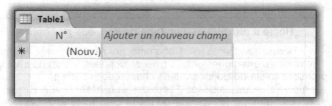

▲ Figure 2.23 : *Nouvelle table vide*

3. Pour nommer le premier champ, double-cliquez sur l'en-tête du champ à définir (champ actuellement nommé *N°*). Celui-ci se met en surbrillance. Vous n'avez plus qu'à saisir son véritable nom (n'oubliez pas les règles établies précédemment : pas d'espaces, pas de signes de ponctuation, pas d'accents, etc.). Nommez ce champ *NumSupport*. Ce champ est automatiquement affecté du type de données *NuméroAuto*. Vous n'aurez donc pas à saisir d'informations dans ce champ.

4. Répétez cette procédure pour chaque champ à nommer. Double-cliquez sur le champ suivant (champ actuellement nommé *Ajouter un nouveau champ*) et attribuez-lui le nom *IntituleSupport*.

Après validation du nom de ce deuxième champ, Access crée automatiquement un nouveau champ. Répétez cette opération jusqu'à ce que tous les champs nécessaires aient été créés et nommés.

5. Positionnez-vous dans la première cellule vide du deuxième champ et saisissez la donnée K7 VHS. Validez la valeur en appuyant sur la touche (Entrée). Puis poursuivez la saisie des autres enregistrements avec les valeurs suivantes : K7, CD-ROM, DVD et Livre.

◄ Figure 2.24 :
Remplissage de la table T_Supports en mode Feuille de données

Règle d'attribution d'un type de données au champ

Hormis le champ *N°* (renommé en *NumSupport*), Access attribue automatiquement un type de données à chaque champ à la première saisie de données dans chacun des champs.
Par exemple, si vous saisissez l'adresse web http://www.microapp.com, Access attribue le type de données *Lien hypertexte*. Si vous saisissez une date sous la forme 31/10/2006, Access affecte le type de données *Date/Heure* à ce champ.

6. Sauvegardez la table en cliquant sur le bouton **Enregistrer** de la barre d'outils *Accès rapide* et nommez-la *T_Supports*.

7. Basculez en mode Création pour modifier quelques propriétés du champ *IntituleSupport* comme indiqué dans le tableau ci-dessous.

Tab. 2.5 : Liste des propriétés affectées au champ IntituleSupport de la table T_Supports

Propriété	Contenu
Taille du champ	10
Format	>

Vous constaterez qu'Access a automatiquement attribué la propriété *Clé primaire* au champ *NumSupport*.

8. Enregistrez et fermez la table *T_Supports*.

Cette méthode de création de table n'est pas la plus rigoureuse à mettre en œuvre.

Modifier un type de données d'un champ en mode Feuille de données

Il peut arriver qu'Access ne définisse pas correctement le type de données à attribuer à un champ. Par exemple, si vous saisissez cinq chiffres correspondant à un code postal français, Access attribue le type de données *Numérique* alors qu'en fait c'est un type de données *Texte*.

Pour corriger cette erreur en mode Feuille de données, procédez comme suit :

1. Sélectionnez le champ à modifier.

2. Sélectionnez l'onglet contextuel **Feuille de données** sous l'onglet **Outils de table**.

3. Dans le groupe *Type de données et mise en forme*, sélectionnez l'option correspondant à votre besoin dans la liste *Type de données*.

◄ Figure 2.25 :
Sélection du type de données souhaité

Supprimer la colonne Ajouter un nouveau champ en mode Feuille de données

Si la visualisation permanente de la colonne *Ajouter un nouveau champ* vous gêne, vous pouvez y remédier.

Pour désactiver la possibilité de créer un nouveau champ en mode Feuille de données :

1. Cliquez sur le bouton **Office**.

2. Cliquez sur le bouton de commande **Options Access** en bas à droite de la fenêtre.

3. Dans le volet situé à gauche de la fenêtre, sélectionnez la catégorie *Base de données active*.

4. Dans la rubrique *Options de l'application*, décochez la case *Autoriser les modifications de structure des tables en mode Feuille de données (pour cette base de données)*. Puis cliquez sur le bouton OK pour valider la modification.

> **Conseils à prendre en compte**
>
> Pour que cette modification prenne effet, vous devez fermer et ouvrir de nouveau votre base de données. Cette modification est propre à chaque base de données.
> Bien entendu, vous n'aurez plus la possibilité d'effectuer des modifications concernant la structure de la table en mode Feuille de données.

Importer une table

Il est possible d'intégrer dans votre base de données en cours des données provenant d'une autre application telle que dBase, Lotus, Paradox ou même Excel. Vous vous limiterez ici à la procédure permettant d'importer une table provenant d'une autre base de données Access.

Importer les tables T_Editeurs et T_Genres

Vous importerez les tables *T_Editeurs* et *T_Genres* de la base de données *Médiathèque01.mdb* (version Access 2003) que vous pouvez télécharger sur le site de Micro Application, à l'adresse www.microapp.com. Si vous n'avez pas suivi le début de cette initiation, vous pouvez également télécharger la base de données *C02-Médiathèque03.accdb* sur ce même site. Cette base comprend les trois tables créées dans les sections précédentes.

Pour importer la table *T_Editeurs*, procédez ainsi :

1. Ouvrez la base de données *C02-Médiathèque03.accdb* ou conservez la base en cours.

2. Sélectionnez l'onglet **Données externes**.

3. Dans le groupe *Importer*, cliquez sur le contrôle **Access**.

4. Dans la boîte de dialogue affichée :

– Cliquez sur le bouton de commande **Parcourir** pour rechercher le dossier dans lequel se trouve la base de données Access à importer. Sélectionnez la base de données *Médiathèque01.mdb*.

– Conservez la première option *Importer des tables, des requêtes, des formulaires, des états, des macros et des modules dans la base de données active*.

– Cliquez sur le bouton OK.

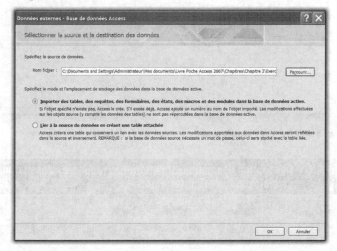

▲ Figure 2.26 : *Sélectionner le dossier de stockage et l'option d'importation*

5. Sélectionnez successivement une ou plusieurs tables à importer. Sélectionnez les deux tables *T_Editeurs* et *T_Genres*. Pour désélectionner un objet, cliquez de nouveau sur cet objet.

6. Cliquez si nécessaire sur le bouton de commande **Options** afin de préciser d'autres paramètres à prendre en compte lors de l'importation. Puis cliquez sur le bouton OK.

▲ Figure 2.27 : *Importation des tables T_Editeurs et T_Genres*

Tab. 2.6 : Description des options d'importation proposées dans la boîte de dialogue Importer des objets	
Option	**Description**
Relations	Importe également les relations existantes entre les tables sélectionnées.

Tab. 2.6 : Description des options d'importation proposées dans la boîte de dialogue Importer des objets	
Option	Description
Menus et barres d'outils	Importe les menus et barres d'outils de la base de données source. Ces éléments sont affichés dans un onglet nommé **Compléments**.
Paramètres d'import/export	Importe les spécifications d'importation ou d'exportation de la base de données source.
Groupes du volet de navigation	Importe les groupes créés dans le volet de navigation de la base de données source.
Définition et données	Importe la structure et les données de toutes les tables sélectionnées.
Définition uniquement	Importe uniquement la structure de toutes les tables sélectionnées.
Comme des requêtes	Importe les requêtes telles qu'elles sont créées. Dans ce cas, n'oubliez pas d'importer les tables utilisées dans leur conception.
Comme des tables	Importe les requêtes en tant que tables. Dans ce cas, il n'est pas nécessaire d'importer les tables utilisées dans leur conception.

7. Dans la dernière étape de l'assistant, cliquez sur le bouton de commande **Fermer**.

La ou les tables apparaissent immédiatement dans la liste des tables déjà créées.

Importation d'objets Access

La procédure est identique pour l'importation d'un des six autres objets d'Access. Vous pouvez également importer différents objets en une seule manipulation. Il suffit de cliquer sur chacun des onglets contenant les éléments à importer.

Ajouter un champ proposant une liste de choix en utilisant l'assistant

L'Assistant Liste de choix compte parmi les types de données proposés par Access. Une liste de choix permet de sélectionner des valeurs déjà saisies dans une liste. Ces valeurs peuvent provenir d'une autre table, d'une requête ou être saisies par l'utilisateur au moment de la création de la liste. Ce n'est donc pas à proprement parler un type de données mais une aide à la création de la liste. D'ailleurs, à l'issue de la création de la liste de choix, Access affectera un type de données déterminé, en fonction des choix réalisés au cours des étapes de conception de la liste.

Vous créerez un nouveau champ *CodeTypeMedia* dans la table *T_Genres* importée précédemment, proposant une liste de choix issue de la table *T_TypesMedias*. En effet, le code du type de média étant un numéro correspondant au numéro du champ *NumTypeMedia* de la table *T_Types-Medias*, il est difficile de se souvenir du numéro auquel correspond le type livre, audio ou encore vidéo. Par conséquent, vous faciliterez la saisie de l'utilisateur en lui proposant une liste contenant non pas les numéros mais les intitulés du type de média. Il suffira de sélectionner l'intitulé pour que son numéro soit immédiatement stocké dans le champ *CodeTypeMedia* de la table *T_Genres*. Procédez ainsi :

1. Ouvrez la table concernée en mode Création. Choisissez la table *T_Genres*.

2. Ajoutez un nouveau champ au-dessus du champ *LibelleGenre* et nommez-le *CodeTypeMedia*.

3. Dans la liste des types de données du champ concerné (ici *CodeTypeMedia*), sélectionnez *Assistant Liste de choix*.

   Une boîte de dialogue s'affiche à l'écran.

   Deux possibilités vous sont offertes :

   – Les valeurs contenues dans la future liste proviennent d'une autre liste ou d'une requête.

   – Les valeurs de la future liste seront saisies par vos soins dans une des étapes suivantes.

4. Conservez la première option *Je veux que la liste de choix recherche les valeurs dans une table ou requête*. Puis cliquez sur le bouton **Suivant**.

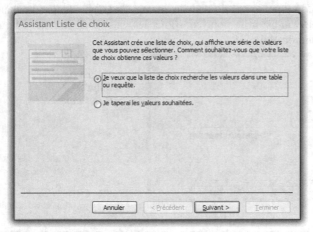

▲ Figure 2.28 : *Première étape de l'Assistant Liste de choix*

5. Access affiche la liste des tables présentes dans votre base de données. Sélectionnez la table *T_TypesMedias* puis cliquez sur le bouton **Suivant**.

▲ Figure 2.29 : *Choix de la table contenant les données de la liste*

6. Il s'agit maintenant de sélectionner les champs utiles à la mise en place de la liste. Sélectionnez les deux champs en cliquant sur le bouton >>. Le champ *NumTypeMedia* est nécessaire pour stocker le numéro du type de média dans le champ *CodeTypeMedia* ; le champ *IntituleMedia* est utile pour constituer les valeurs de la liste. Cliquez sur le bouton **Suivant**.

◄ Figure 2.30 :
Sélection des champs à intégrer dans la liste

7. Access vous propose de définir un ordre de tri sur un des champs choisis pour la construction de la liste. Sélectionnez le champ *IntituleTypeMedia* afin que les valeurs de liste apparaissent par ordre alphabétique. Cliquez sur le bouton **Suivant**.

◄ Figure 2.31 :
Définir un ordre de tri

Si vous souhaitez affecter un tri décroissant, cliquez sur le bouton croissant ; faites l'inverse si vous souhaitez de nouveau un tri croissant.

8. Access affiche le contenu de la liste correspondant aux valeurs saisies dans la table *T_TypesMedias*. Vous pouvez en profiter pour modifier la largeur de la colonne (en l'agrandissant ou en la diminuant) si nécessaire.

La case à cocher *Colonne clé cachée* peut être désactivée si vous souhaitez visualiser les codes associés aux intitulés. En principe, cette case reste cochée.

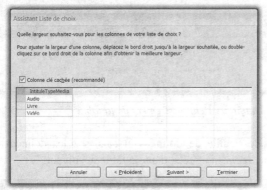

◄ Figure 2.32 :
*Contenu de la
liste de choix*

Cliquez sur le bouton **Suivant**.

9. Modifiez si vous le souhaitez l'étiquette qui est, en fait, le nom attribué au champ. Conservez le nom *CodeTypeMedia* pour l'exemple en cours. Cliquez sur le bouton **Terminer**.

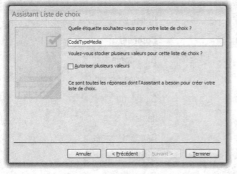

◄ Figure 2.33 :
*Dernière étape
de l'Assistant
Liste de choix*

Un dernier message d'Access vous demande de confirmer l'enregistrement de la table. Si vous acceptez, Access crée déjà la relation entre les tables *T_TypesMedias* et *T_Genres*. Vous verrez plus tard que la relation créée par Access n'est pas satisfaisante.

10. Malgré tout, cliquez sur le bouton **Oui** pour accepter l'enregistrement. Si vous cliquez sur le bouton **Non**, la relation ne sera pas créée et vous devrez penser à enregistrer la table.

▲ Figure 2.34 : *Confirmer l'enregistrement de la table*

11. Basculez en mode Feuille de données et saisissez les données du champ *CodeTypeMedia* indiquées dans le tableau suivant.

Tab. 2.7 : Données de la table T_Genres		
NumGenre	CodeTypeMedia	LibelleGenre
1	Livre	Roman
2	Livre	Policier
3	Audio	Variétés
4	Audio	Rock
5	Vidéo	Policier
6	Vidéo	Comédie
7	Livre	Biographie
8	Livre	Science-fiction
9	Audio	Classique
10	Audio	Jazz
11	Livre	Bande dessinée
12	Vidéo	Dessin animé
13	Vidéo	Drame

Tab. 2.7 : Données de la table T_Genres		
NumGenre	CodeTypeMedia	LibelleGenre
14	Vidéo	Western
15	Audio	Danses de salon
16	Vidéo	Comédie dramatique
17	Livre	Poésie
18	Vidéo	Fantastique

Un type de données révolutionnaire : le champ à valeurs multiples

Une des grandes nouveautés d'Access 2007 est la possibilité de stocker plusieurs valeurs dans un même champ. Par exemple, nous souhaitons attribuer plusieurs types de médias (audio, livre et vidéo) à un même support. Dans la table *T_Supports*, vous allez créer un nouveau champ destiné à contenir plusieurs types de médias. En saisie dans ce nouveau champ, une liste déroulante vous proposera de choisir un ou plusieurs types de médias par le biais de cases à cocher en regard de chacun des éléments de la liste.

▲ Figure 2.35 : *Cocher plusieurs types de médias à associer à un support*

Deux méthodes vous sont proposées pour créer un tel champ. À vous d'utiliser celle qui vous paraît la plus facile. Toutefois, la logique et la rigueur engagent plus volontiers à créer un champ multivaleur en mode Création de table.

Créer un champ à plusieurs valeurs en mode Création de table

1. Ouvrez la table *T_Supports* en mode Création.

2. Ajoutez un nouveau champ sous le champ *IntituleSupport*, nommé *CodesTypesMedia*. Notez que le champ est volontairement orthographié au pluriel. Cela permettra, dans le futur, de repérer plus aisément que ce champ peut contenir plusieurs valeurs.

3. Dans la liste des types de données du champ concerné (ici *CodesTypesMedia*), sélectionnez *Assistant Liste de choix*.

4. Suivez les étapes 4 à 8 de la conception d'une liste de choix à l'aide de l'assistant (à la page 99).

5. À la dernière étape de la création, cochez la case *Autoriser plusieurs valeurs*. Cliquez sur le bouton **Terminer**.

▲ Figure 2.36 : *Autoriser le stockage de plusieurs valeurs dans le champ CodesTypesMedia*

6. Acceptez l'enregistrement de la table et basculez en mode Feuille de données.

Si vous souhaitez réaliser la procédure par la deuxième méthode, refusez d'enregistrer les modifications apportées à cette table. Fermez simplement la table sans accepter l'enregistrement et n'effectuez pas l'étape 7.

7. Saisissez les valeurs à attribuer à ce nouveau champ comme cela est indiqué dans l'écran ci-dessous.

T_Supports		
NumSupport	IntituleSupport	CodeTypeMedia
1	CD	Audio; Livre; Vidéo
2	LIVRE	Livre
3	K7 VHS	Audio; Vidéo
4	DVD	Vidéo

▲ Figure 2.37 : *Contenu de la table T_Supports*

Créer un champ à plusieurs valeurs en mode Feuille de données

1. Ouvrez la table concernée (*T_Supports*) en mode Feuille de données.

2. Cliquez dans la colonne *Ajouter un nouveau champ*.

3. Sous l'onglet **Outils de table**, sélectionnez l'onglet contextuel **Feuille de données**.

4. Dans le groupe *Champs et colonnes*, cliquez sur le contrôle **Colonne de recherche**.

Immédiatement l'Assistant Liste de choix se déclenche.

5. Suivez les étapes 4 à 8 de la conception d'une liste de choix à l'aide de l'assistant (à la page 99).

6. À la dernière étape de la création :

– Saisissez le nom CodesTypesMedia dans l'étiquette de la liste de choix (en fait, au nom du champ créé).

– Cochez la case *Autoriser plusieurs valeurs*.

– Cliquez sur le bouton **Terminer**.

7. Acceptez l'enregistrement de la table et saisissez les valeurs à attribuer à ce nouveau champ comme nous l'avons indiqué à l'étape 7 de la première méthode.

La mise en pratique des connaissances théoriques

Avant d'aborder la mise en œuvre des relations, terminez la création de la dernière table nécessaire à la gestion de votre médiathèque et affinez la structure de cette table. Pour cela :

1. Créez la table *T_Medias* en appliquant les consignes énoncées dans le tableau ci-après.

Tab. 2.8 : Liste des champs de la table T_Medias

Nom du champ	Type de données	Taille du champ	Format	Masque de saisie
NumMedia	Texte	5	>	
TitreMedia	Texte	25		
DateAchat	Date/Heure		Date, abrégé	Date, abrégé
PrixAchat	Monétaire			
AnneeParution	Numérique	Entier		
Cadeau	Oui/Non			
Rangement	Texte	20		
Commentaire	Mémo			

Pour le champ *NumMedia*, les valeurs attendues pourraient être de la forme A0001 pour un média audio, L0001 pour un média livre et V0001 pour un média vidéo.

2. Affectez la clé primaire au champ *NumMedia* et ajoutez quelques propriétés supplémentaires :

Tab. 2.9 : Propriétés attribuées à quelques champs		
Nom du champ	Propriété	Contenu
PrixAchat	*Valide si*	>=0
	Message si erreur	Veuillez saisir un prix supérieur ou égal à 0
Cadeau	*Valeur par défaut*	Non

3. Ajoutez, sous le champ *NumMedia*, quatre nouveaux champs qui permettront de réaliser les relations avec les autres tables de la base. Vous leur attribuerez le type de données *Assistant Liste de choix*. Au dernier message de l'Assistant Liste de choix d'Access vous demandant d'enregistrer la table, cliquez sur le bouton **Non**. Vous effectuerez vous-même l'enregistrement et les relations.

– Créez le champ *CodeSupport*. Sa liste de choix sera basée sur la table *T_Supports*. Sélectionnez les champs *NumSupport* et *IntituleSupport*. Attribuez un tri croissant sur le champ *IntituleSupport*.

– Créez le champ *CodeGenre*. Sa liste de choix sera basée sur la table *T_Genres*. Sélectionnez les champs *NumGenre* et *LibelleGenre*. Attribuez un tri croissant sur le champ *LibelleSupport*.

– Créez le champ *CodeAuteur*. Sa liste de choix sera basée sur la table *T_Auteurs*. Sélectionnez les champs *NumAuteur*, *NomAuteur* et *PrenomAuteur*. Attribuez un tri croissant sur le champ *NomAuteur* et sur le champ *PrenomAuteur*.

– Créez le champ *CodeEditeur*. Sa liste de choix sera basée sur la table *T_Editeurs*. Sélectionnez les champs *NumEditeur* et *Nom Editeur*. Attribuez un tri croissant sur le champ *NomEditeur*.

Pour vérifier que les listes de choix sont correctement créées, cliquez sur l'onglet **Liste de choix** d'un champ correspondant dans la partie inférieure de la fenêtre et parcourez les différentes propriétés.

4. Affectez la valeur *Oui* à la propriété *Null interdit* des champs *TitreMedia*, *CodeSupport*, *CodeGenre*, *CodeAuteur* et *CodeEditeur*, car ces champs devront obligatoirement contenir une valeur.

5. Saisissez une description pour chaque champ créé comme cela est indiqué dans le tableau ci-dessous.

Tab. 2.10 : Descriptions des champs de la table T_Medias	
Nom du champ	**Description**
NumMedia	Numéro attribué au média de la forme A0001 (pour un média audio), L0001 (pour un média livre), V0001 (pour un média vidéo)
TitreMedia	Titre complet de l'album, du livre ou du film
CodeSupport	Choix dans une liste du support de sauvegarde (CD, DVD, K7, Livre…)
CodeGenre	Choix dans une liste de la catégorie d'appartenance du média (Policier, Roman, Comédie…)
CodeAuteur	Choix dans une liste de l'auteur, de l'interprète ou du réalisateur
CodeEditeur	Choix dans une liste de l'éditeur du média
DateAchat	Date d'achat du média
PrixAchat	Prix d'achat TTC du média
AnneeParution	Année de sortie du média
Cadeau	Ce média m'a-t-il été offert ?
Rangement	Précisez le numéro du meuble et celui de l'étagère
Commentaire	Commentaires divers sur le média (sujet abordé, noms des acteurs principaux…)

Un nouveau type de champ : le type Pièce jointe

Le nouveau type de données *Pièce jointe* vous autorise à stocker un ou plusieurs fichiers de différents formats (photos, documents créés avec un traitement de texte, tableaux créés avec un tableur…) dans un seul champ.

Créer un champ Pièce jointe dans une table en mode Création

Pour illustrer ce nouveau type de données, vous ajouterez un nouveau champ, nommé *DocumentsAuteur*, de type *Pièce jointe* dans la table *T_Auteurs*. Ce champ pourra contenir des fichiers photo de l'auteur ou encore des documents textes (*.doc*, *.txt*...) relatifs à sa biographie, filmographie ou discographie.

1. Ouvrez la table concernée (*T_Auteurs*) en mode Création.

2. Dans la colonne *Nom du champ*, positionnez-vous dans la première ligne vide.

3. Saisissez le nom du nouveau champ DocumentsAuteur.

4. Dans la colonne *Type de données*, sélectionnez *Pièce jointe*.

5. Dans la colonne *Description*, saisissez Stocke divers fichiers : photos, biographie, filmographie, discographie...

6. Enregistrez la nouvelle structure de la table en cliquant sur l'outil **Enregistrer** de la barre d'outils *Accès rapide*.

---

attention

Modification du type de données impossible

Désormais, vous ne pourrez plus associer un autre type de données à ce champ. Néanmoins, si vous avez commis une erreur lors de la conception, vous pouvez toujours supprimer le champ, puis le créer de nouveau.

Saisir des données dans un champ Pièce jointe

Une fois le champ créé, vous pouvez basculer en mode Feuilles de données pour y insérer les fichiers souhaités.

1. Ouvrez la table concernée (*T_Auteurs*) en mode Feuille de données ou basculez dans ce mode si vous êtes actuellement en mode Création.

Le nom du champ *DocumentsAuteur* n'apparaît pas, ce champ est représenté par un trombone.

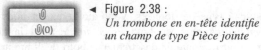

◄ Figure 2.38 :
Un trombone en-tête identifie
un champ de type Pièce jointe

Actuellement aucune donnée n'a été saisie dans la table *T_Auteurs*. Pour les besoins de l'exercice, saisissez le premier enregistrement comme cela est indiqué dans le tableau ci-dessous.

Tab. 2.11 : Premier enregistrement de la table T_Auteurs					
NumAuteur	NomAuteur	Prenom Auteur	Date Naissance Auteur	Date Deces Auteur	Nationalite Auteur
A0010	PAGNOL	Marcel	28/02/1895	18/04/1974	Française

2. Double-cliquez dans le champ *DocumentsAuteur* du premier enregistrement. La boîte de dialogue **Pièces jointes** apparaît.

3. Cliquez sur le bouton **Ajouter** pour insérer des fichiers. La boîte de dialogue **Sélectionnez un fichier** apparaît. Sélectionnez un ou plusieurs fichiers. Ajoutez les fichiers *Marcel Pagnol.jpg*, *Biographie - Marcel Pagnol.doc* et *Œuvres - Marcel Pagnol.doc*. Cliquez sur le bouton **Ouvrir**.

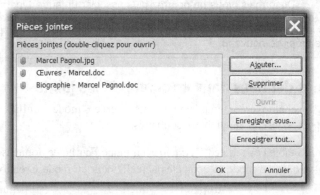

▲ Figure 2.39 : *Liste des fichiers associés à l'enregistrement actif*

4. Dans la boîte de dialogue **Pièces jointes**, cliquez sur le bouton OK pour valider l'ajout des fichiers dans la table. Un trombone suivi du nombre de fichiers joints entre parenthèses apparaît dans le champ de l'enregistrement en cours.

◄ Figure 2.40 :
Trois fichiers sont associés à l'enregistrement actif

Ouvrir un fichier d'un champ Pièce jointe

Pour ouvrir un fichier contenu dans un enregistrement, procédez ainsi :

1. Double-cliquez dans la cellule du champ contenant la pièce jointe à ouvrir. Pour l'exemple, double-cliquez dans le champ *DocumentsAuteur* du premier enregistrement. La boîte de dialogue **Pièces jointes** apparaît.

2. Dans la boîte de dialogue **Pièces jointes**, double-cliquez sur le fichier à ouvrir.

Le programme associé au fichier se lance (s'il est installé sur votre ordinateur) et le fichier sélectionné s'ouvre.

Si vous le souhaitez, vous avez la possibilité de modifier le document. Dans ce cas, à la fermeture du fichier, l'application vous propose d'enregistrer les modifications effectuées.

Supprimer des fichiers joints

Pour supprimer un ou plusieurs fichiers associés à un enregistrement, procédez ainsi :

1. Double-cliquez dans la cellule du champ contenant la pièce jointe à ouvrir. Pour l'exemple, double-cliquez dans le champ *DocumentsAuteur* du premier enregistrement. La boîte de dialogue **Pièces jointes** apparaît.

2. Dans la boîte de dialogue **Pièces jointes**, sélectionnez le fichier à supprimer.

3. Cliquez sur le bouton **Supprimer**. Le fichier choisi disparaît immédiatement sans proposer de message de confirmation.

4. Répétez les étapes 2 et 3 pour chaque fichier à supprimer.

Ajouter un champ de texte enrichi

Le texte enrichi est une nouvelle propriété associée à un champ de type *Mémo*. Il permet d'appliquer diverses mises en forme (gras, italique, couleur de police, puces, numéros…) au texte saisi. Contrairement aux anciennes versions, la mise en forme est applicable à une partie du texte sélectionné d'un champ *Mémo* et non à l'ensemble de la saisie.

Créer un champ avec texte enrichi dans une table en mode Création

Pour illustrer cette nouvelle propriété, vous ajouterez un nouveau champ, nommé *CitationsAuteur*, de type *Mémo* dans la table *T_Auteurs*. Ce champ pourra contenir des citations mémorables de l'auteur.

1. Ouvrez la table concernée (*T_Auteurs*) en mode Création.

2. Dans la colonne *Nom du champ*, positionnez-vous dans la première ligne vide.

3. Saisissez le nom du nouveau champ : `CitationsAuteur`.

4. Dans la colonne *Type de données*, sélectionnez *Mémo*.

5. Dans la colonne *Description*, saisissez `Liste de citations` ou `proverbes inventés par l'auteur`.

6. Dans la rubrique *Propriétés du champ*, déroulez la liste associée à la propriété *Format du texte* et sélectionnez la valeur *Texte enrichi*.

7. Enregistrez la nouvelle structure de la table en cliquant sur l'outil **Enregistrer** de la barre d'outils *Accès rapide*.

Mettre en forme un champ avec texte enrichi

Une fois le champ créé, vous pouvez basculer en mode Feuilles de données pour y saisir un texte et le mettre en forme avec les formats proposés.

Pour appliquer une mise en forme à du texte enrichi, vous pouvez utiliser la barre d'outils miniature ou les options des groupes.

1. Ouvrez la table concernée (*T_Auteurs*) en mode Feuille de données ou basculez dans ce mode si vous êtes actuellement en mode Création.

Pour les besoins de l'exercice, saisissez les citations suivantes dans le champ *CitationsAuteur* du premier enregistrement. Entre chaque citation, faites un retour à la ligne dans la cellule en appuyant sur les touches `Ctrl`+`Entrée`. Validez votre saisie à la fin.

– La contemplation prolongée de la Joconde ne nous donne pas le talent de Vinci.

– On devient vieux quand les jeunes nous abandonnent.

– On appelle les comédiens des cabots, parce qu'ils se sauvent quand on les siffle.

2. Agrandissez la hauteur des lignes de la grille afin de visualiser au moins les deux premières citations et faciliter ainsi les opérations de mise en forme.

3. Sélectionnez la première citation. Une barre d'outils miniature apparaît. Dans cette barre d'outils, vous retrouvez des outils de mise en forme, en partie décrits à la page 32. Appliquez les mises en forme souhaitées. Par exemple, attribuez la couleur bleue au texte sélectionné.

▲ Figure 2.41 : *Barre d'outils miniature*

Pour appliquer une mise en forme au texte, vous pouvez également utiliser les commandes des groupes *Police* et *Texte enrichi* de l'onglet **Accueil**.

Tab. 2.12 :	Descriptions des outils de mise en forme du groupe Texte enrichi
Outil	**Signification**
 🔲	Diminue le retrait du paragraphe de 0,25 pouce
 🔲	Augmente le retrait du paragraphe de 0,25 pouce
 🔲	Remplit la cellule de gauche à droite
 🔲	Remplit la cellule de droite à gauche
 🔲	Insère un numéro devant chaque paragraphe
 🔲	Insère une puce devant chaque paragraphe

Effectuez les mises en forme suivantes :

- Attribuez une puce à chaque paragraphe.
- Attribuez une couleur différente à chaque paragraphe.

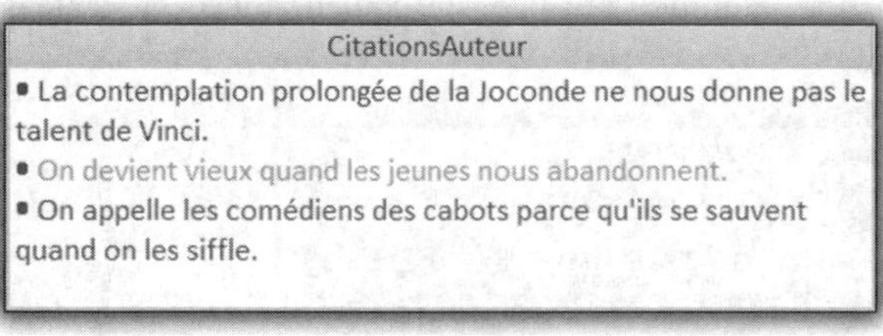

CitationsAuteur

• La contemplation prolongée de la Joconde ne nous donne pas le talent de Vinci.
• On devient vieux quand les jeunes nous abandonnent.
• On appelle les comédiens des cabots parce qu'ils se sauvent quand on les siffle.

▲ Figure 2.42 : *Champ CitationsAuteur mis en forme*

Sélections rapides

Pour sélectionner rapidement un mot, double-cliquez dessus. Pour sélectionner rapidement un paragraphe, cliquez trois fois dessus.

2.3   Relations

La notion de relation

Quand toutes les tables de votre application ont été réalisées, il faut définir les relations existant entre elles. Établir des relations entre les tables vous permettra plus tard de regrouper les informations enregistrées dans les différentes tables. Une relation ou liaison entre deux tables est établie par l'intermédiaire de la clé primaire. C'est maintenant que vous allez comprendre toute l'importance de la clé primaire.

Comprendre l'intégrité référentielle et ses différentes options

Pour qu'une relation soit satisfaisante, il faut lui appliquer "l'intégrité référentielle". Ce sont des contraintes imposées par Access afin d'éviter des incohérences entre les données stockées.

Dans Access, il existe trois types de relations.

La relation de type "un-à-plusieurs"

C'est la relation la plus courante. Prenons l'exemple de la relation à mettre en place entre les tables *T_Auteurs* et *T_Medias* (voir Figure 2.43).

Cette relation est identifiée par un trait joignant deux champs de même contenu et les symboles 1 et ∝ (le symbole ∝ signifie plusieurs).

Ainsi on dira : un (pour le symbole 1) auteur peut réaliser plusieurs (pour le symbole ∝) médias. C'est une relation un-à-plusieurs. En d'autres termes, cela signifie aussi qu'une clé étrangère (*CodeAuteur* dans *T_Medias*) doit correspondre à une clé primaire (*NumAuteur* dans *T_Auteurs*) de l'autre table liée. La clé primaire est toujours du côté 1 de la relation et la clé étrangère du côté ∝ (voir figure 2.43).

Dans notre exemple, cela signifie qu'il est impossible de saisir un *CodeAuteur* dans la table *T_Medias* si ce code n'a pas été au préalable saisi dans le champ *NumAuteur* de la table *T_Auteurs*. Nous pourrions arriver à une telle incohérence si nous n'avions pas pris soin d'appliquer l'intégrité référentielle.

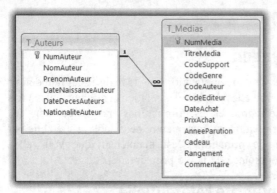

▲ Figure 2.43 : *Relation à obtenir entre les tables T_Auteurs et T_Medias*

Par ailleurs, pour réussir la création d'une relation, les deux champs liés doivent être affectés du même type de données.

Par exemple, si le champ clé primaire de la table source (table du côté 1) est de type *Texte* (5 caractères), le champ clé étrangère de la table destination (table du côté plusieurs) doit être de type *Texte* (5 caractères).

> **Exception à la règle**
>
> Il existe cependant une exception. En effet, un champ clé primaire de type *NuméroAuto* doit toujours être mis en relation avec un champ clé étrangère de type *Numérique/Entier Long*.

En revanche, il n'est pas nécessaire que ces deux champs portent le même nom. D'ailleurs, nous vous le déconseillons. Nous adopterons une nouvelle règle, non imposée par Access mais dictée par notre rigueur. Par habitude, le nom de la clé primaire commencera toujours par *Num* (*NumTypeMedia*, *NumAuteur*, *NumEditeur*, *NumGenre*, etc.) et celui de la clé étrangère par *Code* (*CodeTypeMedia*, *CodeAuteur*, *CodeEditeur*, *CodeGenre*, etc.). Cela facilitera la création des relations entre les tables.

L'intégrité référentielle s'accompagne de deux options supplémentaires :

■ *Mettre à jour en cascade* : cette option signifie que si vous modifiez la valeur du champ clé primaire de la table source (table du côté 1), tous les enregistrements qui lui sont liés dans la table destination (table du côté plusieurs) seront mis à jour.

Concrètement, cela signifie que si vous changez la valeur d'un ou de plusieurs *NumAuteur* dans la table *T_Auteurs*, la valeur du champ *CodeAuteur* de la table *T_Medias* prendra automatiquement la nouvelle valeur saisie dans *NumAuteur*. Un peu compliqué ?

> **Propriété non indispensable mais utile**
>
> Appliquez cette option dans la majorité des cas ; elle est très utile.

■ *Effacer en cascade les enregistrements correspondants* : cette option signifie que si vous supprimez un enregistrement dans la table source (table du côté 1), tous les enregistrements lui correspondant dans la table destination (table du côté plusieurs) seront supprimés.

Concrètement, cela signifie que si vous supprimez un auteur dans la table *T_Auteurs*, tous les médias (livres, vidéos ou musiques) de cet auteur seront supprimés dans la table *T_Medias*. En principe, on évite d'appliquer cette option car elle est trop dangereuse. En effet, le ménage est rapidement réalisé, mais c'est trop risqué.

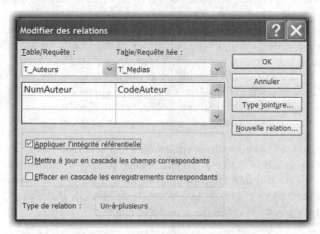

▲ Figure 2.44 : *Options de l'intégrité référentielle*

La relation de type "plusieurs-à-plusieurs"

Un enregistrement de la table primaire peut être en relation avec plusieurs enregistrements de la table liée et, inversement, un enregistrement de la table liée peut être en relation avec plusieurs enregistrements de la table primaire.

Comme nous l'avons déjà indiqué, plus loin dans cet apprentissage, vous ajouterez un nouveau module correspondant au suivi des emprunts par vos amis. Vous aurez donc à créer une nouvelle table *T_Amis* contenant les coordonnées de chacun de vos amis susceptibles d'emprunter vos médias. Au moment de créer la relation entre les tables *T_Amis* et *T_Medias*, vous vous poserez les questions suivantes : quelle est la table source (ou primaire) et quelle est la destination ? Comme pour chaque relation à établir, vous formulerez les phrases vous permettant de trouver la réponse. Or, dans ce cas, nous pouvons aussi bien dire "Un ami peut emprunter un ou plusieurs médias" que "Un média peut être emprunté par un ou plusieurs amis". Nous sommes donc bien dans le cas d'une relation "plusieurs-à-plusieurs".

Cependant, ce type de relation n'est pas prévu par Access. La ruse consiste à créer une troisième table appelée table de liaison ou table de jonction. Comme son nom l'indique, elle permet de définir un lien entre les deux tables *T_Amis* et *T_Medias*. Admettons que cette table se nomme *T_Emprunts*. Elle contiendra les champs de liaison nécessaires pour effectuer le lien entre *T_Amis* et *T_Emprunts* d'une part et *T_Medias* et *T_Emprunts* d'autre part. Par conséquent, les champs de la table *T_Emprunts* seront *CodeAmi*, *CodeMedia*, *DateEmprunt* et *DateRetour*. De plus, vous appliquerez une clé primaire multiple sur *CodeAmi* et *CodeMedia* car c'est le couple (*CodeAmi*, *CodeMedia*) qui définira l'unicité de l'enregistrement. Les deux relations créées seront alors de type "un-à-plusieurs". Cela nous ramène au cas énoncé précédemment.

Notez toutefois que l'on pourrait également créer un champ *CodeAmi* à plusieurs valeurs dans la table *T_Medias*. D'une part, cette méthode nous éviterait la création d'une table de liaison, mais d'autre part, elle nous éloignerait de la théorie puriste de conception de bases de données. Nous ne retiendrons pas cette méthode dans notre étude.

La relation de type "un-à-un"

Un enregistrement de la table source est en relation avec un enregistrement de la table liée, et inversement, un enregistrement de la table liée est
en relation avec un enregistrement de la table source. Ce type de relation
est très rare car cela signifie que les données contenues dans l'une et dans
l'autre peuvent être regroupées en une seule table. Ce cas de figure peut
se justifier si vous souhaitez conserver dans une table des informations
confidentielles. Vous disposez alors d'une table contenant des informations accessibles à tous les utilisateurs et d'une seconde contenant des
informations destinées uniquement aux personnes autorisées.

Afficher les tables dans la fenêtre Relations

Pour créer les liaisons, il faut afficher l'onglet de document (ou fenêtre)
Relations et y intégrer les tables à mettre en relation. Assurez-vous, au
préalable, que toutes les tables sont fermées.

1. Sélectionnez l'onglet **Outils de base de données**.

2. Dans le groupe *Afficher/Masquer*, cliquez sur le contrôle
Relations.

– Si des relations ont déjà été créées et enregistrées, vous les
visualiserez dans la fenêtre qui apparaît. Vous devez être dans ce
cas si vous avez suivi l'exemple depuis le début.

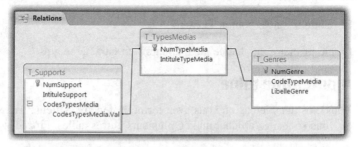

▲ Figure 2.45 : *Relations déjà existantes dans la base de données en
cours*

– Si aucune relation n'a été créée, la boîte de dialogue **Afficher la table** s'ouvre.

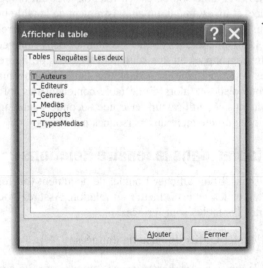

◀ Figure 2.46 :
Sélectionner les tables à mettre en relation

Pour ajouter les tables dans la fenêtre :

1. Double-cliquez sur chaque table à ajouter dans la fenêtre **Relations** ou cliquez et glissez sur les tables afin de toutes les sélectionner.

2. Cliquez sur le bouton **Ajouter**.

3. Cliquez sur le bouton **Fermer**.

La clé primaire de chaque table apparaît en caractères gras.

Ajouter une table

Vous êtes dans le cas où vous avez fermé la fenêtre **Afficher la table** et où vous souhaitez afficher une ou plusieurs autres tables. Procédez ainsi :

1. Dans l'onglet contextuel **Créer**, cliquez sur le contrôle **Afficher la table**.

2. Double-cliquez sur chaque table à ajouter dans la fenêtre **Relations**. Ajoutez les trois tables manquantes, à savoir *T_Auteurs*, *T_Editeurs* et *T_Medias*.

3. Cliquez sur le bouton **Fermer**.

Déplacer et redimensionner les tables

Il est conseillé d'éviter de croiser les relations. Pour cela, vous devez déplacer les tables.

■ Pour déplacer une table, faites un cliquer-glisser dans la barre de titre de la table à déplacer, puis positionnez-la où vous le souhaitez.

■ Pour redimensionner une table, positionnez-vous sur une des quatre bordures ou un des quatre angles de la table concernée. Le pointeur se transforme en une flèche à double pointe appelée poignée de redimensionnement. Faites un cliquer-glisser de façon à augmenter ou à diminuer la taille de cette table.

Afin de faciliter la création des relations de la base de données *Médiathèque*, disposez et modifiez les dimensions des six tables de votre application conformément au schéma suivant :

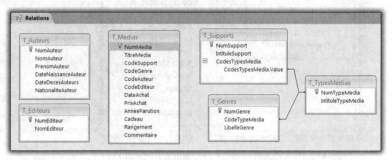

▲ Figure 2.47 : *Disposition des tables dans la fenêtre Relations*

Créer une relation avec intégrité référentielle

Vous allez créer votre première relation entre la table *T_Auteurs* et *T_Medias*. Pour cela :

1. Assurez-vous que la fenêtre **Relations** est affichée (sinon activez-la) et que les tables pour lesquelles vous souhaitez établir une relation sont présentes. Si toutes les tables ne sont pas à l'écran, ajoutez-les.

2. Cliquez et faites glisser le champ *NumAuteur* (champ clé primaire de la table source) de la table *T_Auteurs* sur le champ *CodeAuteur* (champ de liaison de la table destination) de la table *T_Medias*.

   La boîte de dialogue **Modifier des relations** apparaît.

3. Cochez les cases *Appliquer l'intégrité référentielle* et *Mettre à jour en cascade les champs correspondants*.

4. Cliquez sur le bouton **Créer**.

   Access dessine une ligne joignant les deux tables. Le chiffre 1 apparaît du côté 1 de la relation et le symbole ∝ apparaît du côté plusieurs de la relation.

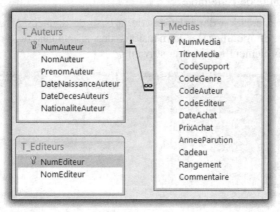

▲ Figure 2.48 : *Relation entre les tables T_Auteurs et T_Medias*

5. Créez les autres relations de la base de données selon le schéma ci-après.

Pour chaque relation, veillez à bien faire glisser le champ clé primaire de la table source vers le champ de liaison (ou champ clé étrangère) de la table liée. Si vous faites l'inverse, le champ clé étrangère vers le champ clé primaire, Access rectifie souvent la manipulation mais pas toujours. Donc, réfléchissez avant de vous lancer dans la réalisation du lien.

Ne modifiez pas, pour le moment, les relations entre les tables *T_TypesMedias* et *T_Supports* d'une part et *T_TypesMedias* et *T_Genres* d'autre part.

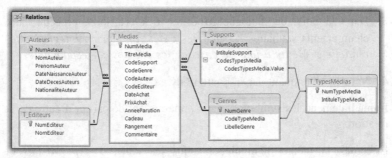

▲ Figure 2.49 : *Relations de la base de données Médiathèque*

Règles imposées par les relations

■ Vous ne pouvez établir qu'une seule relation entre deux tables.
■ Vous ne pouvez pas modifier le type de données d'un champ utilisé dans une relation ni le supprimer.
■ Vous ne pouvez pas supprimer une table source sans avoir, au préalable, supprimé les relations dont elle fait l'objet.

Modifier une relation

Il peut arriver qu'une propriété affectée à une relation ne soit pas bien définie. Vous pouvez alors modifier cette relation sans être obligé de la créer de nouveau.

Vous allez modifier la relation entre la table *T_TypesMedias* et *T_Supports*. Cette relation ne contient pas les symboles 1 et ∞. Cela signifie que cette dernière ne respecte pas le principe d'intégrité référentielle. Par conséquent, les vérifications de compatibilité entre les champs ne sont pas effectuées. Vous allez donc appliquer l'intégrité référentielle à cette relation. Pour cela :

1. Activez la fenêtre **Relations** (si ce n'est pas déjà le cas).

2. Double-cliquez sur la relation à modifier. Dans le cas présent, double-cliquez sur la relation entre les tables *T_TypesMedias* et *T_Supports*.

3. Dans la boîte de dialogue **Modifier des relations**, procédez aux changements souhaités. Cochez les cases *Appliquer l'intégrité référentielle* et *Mettre à jour en cascade les champs correspondants*.

4. Validez en cliquant sur le bouton OK.

Immédiatement, les symboles 1 et ∝ apparaissent de part et d'autre de la relation.

Effectuez la même manipulation pour les tables *T_TypesMedias* et *T_Genres*.

Supprimer une relation

Il peut arriver que vous souhaitiez supprimer une relation car une table liée n'est plus utile dans la base de données, ou pour toute autre raison. Procédez ainsi :

1. Activez la fenêtre **Relations**.

2. Cliquez sur la relation à supprimer.

3. Appuyez sur la touche [Suppr] de votre clavier ou cliquez avec le bouton droit sur la relation à supprimer, puis cliquez sur la commande **Supprimer**.

4. Acceptez la suppression en cliquant sur le bouton **Oui**, dans la boîte de dialogue affichée.

Effacer une ou plusieurs tables de la fenêtre Relations

Il est possible d'enlever une ou plusieurs tables dans la fenêtre **Relations**. Sachez toutefois que le fait d'effacer une ou plusieurs tables dans la fenêtre **Relations** ne supprime ni les relations établies entre les tables ni, bien sûr, les tables créées.

Effacer une table

1. Cliquez dans la barre de titre de la table à effacer.

2. Appuyez sur la touche [Suppr] ou cliquez avec le bouton droit sur la table à effacer, puis cliquez sur la commande **Masquer la table**.

Effacer toutes les tables et relations de la fenêtre

1. Dans le groupe *Outils* de l'onglet contextuel **Créer**, cliquez sur le contrôle **Effacer la mise en page**.

2. Au message de confirmation envoyé par Access, cliquez sur le bouton **Oui**.

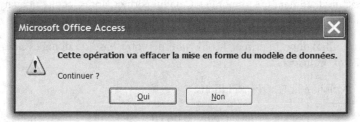

▲ Figure 2.50 : *Accepter le masquage de toutes les tables de la fenêtre*

Afficher toutes les tables liées dans la fenêtre Relations

Pour afficher de nouveau toutes les tables et les relations correspondantes, après avoir activé la commande **Effacer la mise en page**, cliquez sur le contrôle **Afficher toutes les relations** du groupe *Relations*.

Vous risquez sûrement de perdre la mise en forme que vous aviez minutieusement appliquée !

Enregistrer la mise en forme

Une fois que les relations sont établies, il convient d'enregistrer la fenêtre **Relations** telle que vous souhaitez la visualiser.

- Quand les manipulations sont terminées, cliquez sur le bouton **Enregistrer** de la barre d'outils *Accès rapide*.
- Si vous avez oublié d'effectuer la sauvegarde avant de quitter la fenêtre **Relations** et si des modifications ont été réalisées, un message de sauvegarde s'affiche. Acceptez les modifications en cliquant sur le bouton **Oui**.

Imprimer les relations d'une base de données

Quand la structure de la base de données est établie, il est intéressant de conserver sur papier le schéma relationnel de l'application. Vous pourrez vous y référer à tout moment. Pour un concepteur de base de données, c'est un document très important. Cela lui permet, après lecture et analyse du schéma, de comprendre le fonctionnement de la base.

Vous allez donc imprimer la structure de votre base de données *Média-thèque*. Pour cela :

1. Affichez la fenêtre **Relations**.

2. Dans le groupe *Outils* de l'onglet contextuel **Créer**, cliquez sur le contrôle **Rapport de relations**.

   Access crée un état dans lequel les tables et les relations apparaissent telles que vous les avez définies dans la fenêtre **Relations**.

3. Modifiez la mise en page (si nécessaire) afin que le schéma apparaisse sur une seule page.

   - Dans le groupe *Mise en page*, cliquez sur le contrôle **Paysage**.

   - Dans le groupe *Mise en page*, cliquez sur le contrôle **Marges** et sélectionnez l'option qui convient le mieux à l'optimisation de l'affichage.

◄ Figure 2.51 :
*Choix d'un
modèle de
marges*

4. Imprimez le schéma ainsi présenté en cliquant sur le contrôle
Imprimer.

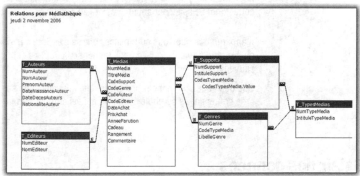

▲ Figure 2.52 : *État représentant les relations de la base de données
Médiathèque*

5. Fermez l'état et choisissez de l'enregistrer en cliquant sur le bouton
Oui au message affiché à l'écran. Nommez-le *E_RelationsMediathe-
que*. Si vous cliquez sur le bouton **Non**, l'état se ferme et aucune trace
n'est conservée. Vous devrez alors appliquer de nouveau la commande
Rapport de relations dans la fenêtre **Relations**.

6. Fermez la fenêtre **Relations**.

2.4 Enregistrer des données

Les symboles de sauvegarde

Avant de décrire ces symboles, précisons qu'un enregistrement est sauvegardé automatiquement lorsque :

- Vous passez à un autre enregistrement.
- Vous fermez la table.
- Vous activez le mode Création.
- Vous quittez Access.

Tab. 2.13 : Les symboles utilisés dans Access en mode Saisie de données	
Symbole	**Signification**
☐	Désigne l'enregistrement actif. Access attend votre saisie dans cette ligne. Le sélecteur apparaît coloré en orange.
✏	Il apparaît dès que vous commencez une saisie. Si une panne de courant survient, seul l'enregistrement en cours ne sera pas sauvegardé.
✳	Dès que vous commencez une saisie, une nouvelle ligne se crée contenant ce symbole étoile. Un nouvel enregistrement est prêt à être saisi.

Saisir des données

La saisie en mode Feuille de données s'effectue de façon classique comme dans une feuille de calcul Excel. Seule une innovation concernant la saisie des dates mérite d'être présentée.

Saisir une date

Access 2007 propose une nouvelle fonctionnalité : le sélecteur de dates.

Pour saisir une date à l'aide du sélecteur de dates :

1. Placez-vous dans un champ de type *Date/Heure* ; le sélecteur de dates apparaît à droite du champ.

> **Affichage du sélecteur de dates**
>
> Si le champ *Date/Heure* concerné contient un masque de saisie, le sélecteur de dates n'est pas disponible.

2. Cliquez sur le sélecteur de dates. Un contrôle calendrier s'affiche sous le champ de saisie, indiquant le mois et l'année actuels et le jour présent en surbrillance.

◄ Figure 2.53 :
Contrôle Calendrier

3. Selon vos besoins :

– Cliquez sur le bouton **Aujourd'hui** pour introduire la date du jour.

ou

– Cliquez sur une date particulière dans le calendrier. Pour sélectionner un autre mois et année, utilisez les boutons prévus à cet effet.

Tab. 2.14 : Déplacements dans le contrôle calendrier	
Outil	Description
◄	Permet de sélectionner une date antérieure à la date du jour. Recule d'un mois par rapport à l'affichage.

Tab. 2.14 : Déplacements dans le contrôle calendrier	
Outil	Description
▶	Permet de sélectionner une date supérieure à la date du jour. Avance d'un mois par rapport à l'affichage.

Alimenter les tables de votre base de données Médiathèque

En vous référant à la procédure développée à la page 89, saisissez les données fournies ci-après dans les tables concernées. La totalité des enregistrements s'effectuera plus tard, grâce à l'utilisation des formulaires.

Si vous le souhaitez, vous pouvez télécharger la base de données *C02-Médiathèque04.accdb* sur le site de Micro Application, à l'adresse www.microapp.com. Cette base contient les six tables créées dans les sections précédentes.

Tab. 2.15 : Données de la table T_Auteurs					
NumAuteur	NomAuteur	Prenom Auteur	Date Naissance Auteur	Date Deces Auteur	Nationalite Auteur
A0010	PAGNOL	Marcel	28/02/1895	18/04/1974	Française
A0020	CAMUS	Albert	07/11/1913	04/01/1960	Française
A0030	LECONTE	Patrice	12/11/1947		Française
A0040	WENDERS	Wim	14/08/1945		Allemande
A0050	KESSEL	Joseph	10/02/1898	23/07/1979	Française
A0060	BENIGNI	Roberto	27/10/1952		Italienne
A0070	OURY	Gérard	29/04/1919	20/07/2006	Française
A0080	HERGE	Rémi	22/05/1907	03/03/1983	Belge
A0090	SEGARA	Hélène	26/02/1971		Française
A0100	GOSCINNY	René	14/08/1926	05/11/1977	Française
A0110	BAUDELAIRE	Charles	09/04/1821	31/08/1867	Française

Tab. 2.15 : Données de la table T_Auteurs					
NumAuteur	NomAuteur	Prenom Auteur	Date Naissance Auteur	Date Deces Auteur	Nationalite Auteur
A0120	DION	Céline	30/03/1968		Canadienne

Tab. 2.16 : Pièces jointes de la table T_Auteurs	
NumAuteur	Pièces jointes
A0010	*Biographie - Marcel Pagnol.doc* ; *Œuvres - Marcel Pagnol.doc* ; *Marcel Pagnol.jpg*
A0030	*Filmographie - Patrice Leconte.doc* ; *Patrice Leconte.jpg*
A0070	*Gérard Oury.jpg - Le Corniaud.jpg*
A0080	*Chameau.gif* ; *Nestor.gif*
A0110	*Œuvres - Charles Baudelaire.doc*
A0120	*Céline Dion.jpg* ; *Discographie - Céline Dion.doc*

Nous vous laissons le soin de trouver des citations pour le champ *CitationsAuteur* de la table *T_Auteurs*.

Tab. 2.17 : Données de la table T_Editeurs	
NumEditeur (NuméroAuto)	NomEditeur
1	CASTERMAN
2	DARGAUD
3	FOLIO
4	POCKET
5	COLUMBIA
6	GCTHV
7	TF1 VIDEO
8	ORLANDO
9	FILM OFFICE

Tab. 2.18 : Données de la table T_Medias (1re partie)

NumMedia	TitreMedia	Code Support	CodeGenre	CodeAuteur	Code Editeur
L0001	Tintin au Congo	Livre	Bande dessinée	Hergé	Casterman
L0002	La gloire de mon père	Livre	Roman	Pagnol	Pocket
A0001	D'eux	CD	Variétés	Dion	Columbia
V0001	Les ailes du désir	DVD	Fantastique	Wenders	GCTHV
V0002	La vie est belle	DVD	Comédie dramatique	Benigni	TF1 Vidéo
A0002	Au nom d'une femme	CD	Variétés	Ségara	Orlando
L0003	Les fleurs du mal	Livre	Poésie	Baudelaire	Folio
L0004	Tintin en Amérique	Livre	Bande dessinée	Hergé	Casterman

Tab. 2.19 : Données de la table T_Medias (2e partie)

DateAchat	PrixAchat en €	Annee Parution	Cadeau	Rangement	Commentaire
15/10/1982	7,00	1931	Non	A3-E4	
22/05/1983	3,00	1957	Non	A1-E2	
03/07/1996	0,00	1995	Oui	T1-E3	
05/08/2002	27,15	1987	Non	MV2-E1	
24/12/1999	0,00	1997	Oui	MV1-E6	
10/07/2001	0,00	2000	Oui	T1-E10	
10/09/1984	5,00	1857	Non	A1-E1	
20/03/1988	7,60	1932	Non	A3-E4	

Pour le champ *Rangement*, les abréviations employées signifient :

A : armoire, E : étagère, T : tour, MV : meuble vidéo.

Se déplacer dans une table

Lorsque vous aurez saisi des données, vous souhaiterez probablement ensuite :

- Les consulter.
- Effectuer des corrections.

Pour réaliser ces manipulations, vous devrez être capable de vous déplacer rapidement entre les enregistrements et les champs de la table. Plusieurs possibilités vous sont offertes :

- Utilisez les touches du clavier :

    – Touches Tab, Entrée ou → pour vous déplacer d'un champ vers le suivant.

    – Touches Maj+Tab ou ← pour vous déplacer d'un champ vers le précédent.

    – Touche ↓ pour vous déplacer d'un champ de l'enregistrement actif vers le même champ de l'enregistrement suivant.

    – Touche ↑ pour vous déplacer d'un champ de l'enregistrement actif vers le même champ de l'enregistrement précédent.

    – Touche ↖ pour vous déplacer dans le premier champ de l'enregistrement actif.

    – Touche ↘ pour vous déplacer dans le dernier champ de l'enregistrement actif.

    Ces touches vous permettent de vous déplacer dans une cellule et sélectionnent, en même temps, la totalité du contenu de la cellule. Pour effectuer une correction dans une cellule, après vous être positionné dans cette cellule, appuyez sur la touche F2.

    La combinaison de touches Ctrl+Entrée force le retour à la ligne dans un champ.

- Utilisez la souris pour vous positionner exactement à l'endroit souhaité.

- Utilisez les boutons de déplacement situés en bas à gauche de l'onglet de document de la table active, ouverte en mode Feuille de données.

◄ Figure 2.54 :
Boutons de déplacement entre les enregistrements dans une table

Tab. 2.20 : Utilisation des boutons de déplacement dans une table, une requête ou un formulaire en mode Feuille de données ou dans un formulaire en mode Formulaire	
Symbole	Signification
🔘	Se déplace sur le premier enregistrement.
🔘	Se déplace sur l'enregistrement précédent.
🔘	Se déplace sur l'enregistrement suivant.
🔘	Se déplace sur le dernier enregistrement.
🔘	Se déplace sur un nouvel enregistrement.
4 sur 8	Indique le numéro de l'enregistrement en cours sur le nombre d'enregistrements total. Saisissez ici le numéro d'enregistrement sur lequel vous souhaitez vous déplacer.

- Dans le groupe *Rechercher* de l'onglet **Accueil**, utilisez les commandes proposées dans la liste du contrôle **Atteindre**. Les commandes et symboles correspondants sont identiques à ceux des boutons de la barre de déplacement décrits ci-dessus.

Annuler une saisie

Tant que vous n'avez pas validé votre saisie (c'est-à-dire tant que le symbole du crayon est toujours présent dans le sélecteur d'enregistrement), vous pouvez l'annuler.

Pour annuler les données dernièrement saisies dans le champ en cours, appuyez une fois sur la touche [Echap] du clavier. Les anciennes informations apparaissent de nouveau.

Pour annuler l'enregistrement complet, appuyez deux fois sur la touche [Echap]. Toutes les données saisies dans l'enregistrement en cours s'effacent pour laisser place à l'ancienne saisie.

Supprimer des données

Il peut arriver que vous souhaitiez supprimer des données dans un champ et non l'ensemble de l'enregistrement. Mettez en surbrillance les données à supprimer, puis appuyez sur la touche [Suppr].

Supprimer un enregistrement

Pour supprimer la totalité d'un enregistrement, suivez ces instructions :

1. Cliquez sur le sélecteur d'enregistrement à gauche de l'enregistrement. Le pointeur prend la forme d'une flèche horizontale noire. La ligne contenant l'enregistrement apparaît dans un encadré orange.

2. Appuyez sur la touche [Suppr].

3. Une boîte de dialogue vous demande confirmation. Cliquez sur le bouton **Oui**.

▲ Figure 2.55 : *Confirmer la suppression de l'enregistrement*

Attention, cette opération est irréversible.

Suppression impossible

Si vous tentez de supprimer un enregistrement dont le champ est en relation avec une autre table, il se peut qu'Access vous refuse cette suppression car vous n'avez pas coché la case *Effacer en cascade les enregistrements correspondants*. Une boîte de dialogue vous informe de cette impossibilité.

Essayez de supprimer l'auteur *Marcel Pagnol* dans la table *T_Auteurs*. Le message suivant apparaît :

Microsoft Office Access

⚠ Impossible de supprimer ou de modifier l'enregistrement car la table « T_Medias » comprend des enregistrements connexes.

OK   Aide

▲ Figure 2.56 : *Suppression impossible*

Cela signifie qu'un ou plusieurs livres dont l'auteur est *Marcel Pagnol* sont stockés dans la table *T_Medias*. Cliquez sur le bouton OK.

Masquer des colonnes

Si vous ne souhaitez pas saisir ou consulter des informations de certains champs, vous pouvez les cacher afin qu'elles n'encombrent pas l'espace de travail.

Masquer une colonne

1. Ouvrez la table en mode Feuille de données.

2. Cliquez du bouton droit sur l'en-tête du champ à masquer.

3. Dans le menu contextuel, sélectionnez la commande **Masquer les colonnes**.

Masquer plusieurs colonnes contiguës

1. Ouvrez la table en mode Feuille de données. Ouvrez la table *T_Auteurs*.

2. Faites un cliquer-glisser sur les en-têtes des champs à masquer. Sélectionnez les champs *NomAuteur* et *PrenomAuteur*.

3. Activez la commande **Masquer les colonnes** du menu contextuel.

Afficher des colonnes

À tout moment, il peut être indispensable de visualiser les informations masquées. Pour cela :

1. Positionnez-vous n'importe où dans la table *T_Auteurs*.

2. Pour afficher de nouveau les colonnes, activez la commande **Afficher les colonnes** du menu contextuel.

3. Cochez les cases correspondant aux champs à afficher : *NomAuteur* et *PrenomAuteur*.

◄ Figure 2.57 :
Boîte de dialogue Afficher les colonnes

4. Cliquez sur le bouton **Fermer**.

Figer des colonnes

Il arrive qu'une table contienne beaucoup de champs et que ceux-ci ne soient pas tous visibles dans la largeur de l'écran. Aussi, quand vous vous déplacez vers les derniers champs à gauche de la table, vous ne visualisez plus les premières colonnes qui, souvent, contiennent des informations telles que le code ou le nom. Vous aimeriez vous déplacer et toujours visualiser sur la gauche de l'écran le champ important. Il vous faut figer les colonnes.

Figer une colonne

1. Ouvrez la table en mode Feuille de données.

2. Cliquez du bouton droit sur l'en-tête du champ à figer.

3. Dans le menu contextuel, sélectionnez la commande **Figer les colonnes**.

Figer plusieurs colonnes contiguës

1. Ouvrez la table en mode Feuille de données.

2. Faites un cliquer-glisser sur les en-têtes des champs à figer.

3. Activez la commande **Figer les colonnes** du menu contextuel.

> **Inconvénient de figer les colonnes**
>
> Si vous figez une ou plusieurs colonnes qui n'étaient pas positionnées en première place, celles-ci prennent automatiquement la première position dans la table et y restent, même après que vous avez libéré les colonnes. Il s'agira ensuite de positionner vous-même de nouveau les champs au bon endroit.

Libérer les colonnes

1. Ouvrez la table en mode Feuille de données.

2. Positionnez-vous n'importe où dans la table et activez la commande **Libérer toutes les colonnes** du menu contextuel.

Déplacer des colonnes

Il est possible de modifier l'ordre d'affichage des champs en mode Feuille de données. Pour cela :

1. Sélectionnez la colonne à déplacer en cliquant n'importe où dans son en-tête.

Le pointeur, en forme de flèche verticale noire, se transforme en une flèche oblique plus épaisse, blanche.

2. Faites un cliquer-glisser de la colonne vers sa nouvelle position.

Faire des totaux en mode Feuille de données

Access 2007 intègre un nouvel outil nommé **Ligne Totaux** permettant d'additionner les valeurs d'un champ, de compter le nombre de valeurs contenues dans une colonne, d'extraire le minimum ou le maximum d'un champ ou encore d'effectuer la moyenne d'un champ.

Ajouter une ligne Totaux

1. Ouvrez la table *T_Medias* sur laquelle vous souhaitez effectuer des totaux en mode Feuille de données.

2. Sélectionnez l'onglet **Accueil**.

3. ∑ Dans le groupe *Enregistrements*, cliquez sur le contrôle **Totaux**.

La ligne *Total* apparaît sous la ligne destinée à recevoir un nouvel enregistrement.

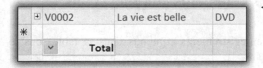

◄ Figure 2.58 :
Affichage de la ligne Totaux

Notez qu'une flèche symbolisant la présence d'une liste déroulante apparaît dans chaque cellule de la ligne *Total*. C'est elle qui vous permettra de sélectionner l'opération à effectuer.

Constatez également que la flèche se trouve à gauche de la cellule, ce qui n'est pas courant pour une liste déroulante. C'est dans le but de ne pas perturber l'affichage à droite du résultat dans la cellule.

Additionner les données d'un champ

Additionnons par exemple toutes les valeurs du champ *PrixAchat*.

1. Réitérez les étapes 1 à 3 de la section *Ajouter une ligne Totaux* ci-dessus en page 139.

2. Dans la ligne *Total* du champ (ici *PrixAchat*), sélectionnez l'opération *Somme* dans la liste déroulante.

◄ Figure 2.59 :
Sélection de l'opération arithmétique dans la liste et affichage du résultat

Compter le nombre d'éléments contenus dans un champ

Indiquons le nombre d'enregistrements contenus dans la table sous le champ *TitreMedia*.

1. Réitérez les étapes 1 à 3 de la section *Ajouter une ligne Totaux*.

2. Dans la ligne *Total* du champ (ici *TitreMedia*), sélectionnez l'opération *Nombre* dans la liste déroulante.

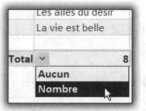

◄ Figure 2.60 :
Proposition plus restreinte d'opérations possibles, seulement un comptage

Vous constatez que la liste des opérations proposées est fonction du type de champ concerné.

Extraire la valeur la plus grande ou la plus petite d'un champ

Recherchons la date d'achat la plus récente.

1. Réitérez les étapes 1 à 3 de la section *Ajouter une ligne Totaux* en page 139.

2. Dans la ligne *Total* du champ (ici *DateAchat*), sélectionnez la fonction *Maximum* dans la liste déroulante.

Pour extraire la date d'achat la plus ancienne, vous auriez choisi la fonction *Minimum*.

Masquer une ligne Totaux

Sachez qu'une ligne *Totaux* n'est jamais supprimée d'une feuille de données. Si elle n'apparaît pas, c'est qu'elle est simplement masquée. C'est pourquoi les opérations déjà appliquées aux colonnes de la feuille de données sont conservées en mémoire et apparaissent intactes lorsque vous affichez de nouveau la ligne *Totaux*. Pour masquer une ligne *Totaux*, procédez ainsi :

1. Ouvrez la table sur laquelle vous souhaitez masquer la ligne *Totaux* en mode Feuille de données. En principe, la table *T_Medias* est déjà ouverte et présente sous vos yeux.

2. Sélectionnez l'onglet **Accueil**.

3. Dans le groupe *Enregistrements*, cliquez de nouveau sur le contrôle **Totaux**.

2.5 Rechercher des données

Après la saisie des données, vient le moment de consulter et de rechercher ces données.

Dans la table *T_Auteurs*, recherchez l'auteur dont le nom est Baudelaire. Pour cela :

1. Ouvrez la table sur laquelle vous souhaitez effectuer la recherche en mode Feuille de données. Par conséquent, double-cliquez sur la table *T_Auteurs*.

2. Si vous souhaitez effectuer une recherche dans un champ particulier, positionnez-vous n'importe où dans ce champ. Placez-vous dans une cellule du champ *NomAuteur*.

3. Sélectionnez l'onglet **Accueil**.

4. Dans le groupe *Rechercher*, cliquez sur le contrôle **Rechercher**.

5. Renseignez la boîte de dialogue affichée. Remplissez les différentes rubriques comme dans l'écran ci-après (voir Figure 2.61).

Tab. 2.21 : Options de la boîte de dialogue Rechercher et remplacer		
Rubrique	Valeurs possibles	Description
Rechercher		Saisissez le texte cherché.

Tab. 2.21 : Options de la boîte de dialogue Rechercher et remplacer

Rubrique	Valeurs possibles	Description
Regarder dans	Nom du champ	La recherche s'effectue uniquement dans le champ actif.
	Nom de la table	La recherche s'effectue dans tous les champs de la table.
Où	N'importe où dans le champ	La séquence de lettres et mots saisis est recherchée n'importe où dans le champ.
	Champ entier	La recherche correspond exactement à ce qui a été saisi dans la rubrique *Rechercher*.
	Début de champ	Tout champ débutant par la séquence de caractères saisie dans la rubrique *Rechercher* sera trouvé.
Sens	Haut Bas Tout	Dans quel sens doit s'effectuer la recherche dans la table, à partir de l'enregistrement courant ? du haut vers le bas uniquement, du bas vers le haut uniquement ou dans tous les sens ?
Respecter la casse		La casse (majuscules ou minuscules) des caractères saisis dans la rubrique *Rechercher* doit-elle respecter la casse des caractères saisis dans la table ?

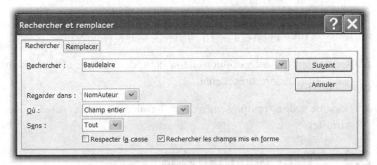

▲ Figure 2.61 : *Recherche d'un auteur précis*

6. Cliquez sur le bouton **Suivant**. Dès qu'Access a trouvé une valeur correspondant à la recherche dans la table, il se positionne dessus. Vous pouvez de nouveau cliquer sur le bouton **Suivant** afin de vous placer sur l'occurrence suivante s'il en existe. Lorsque aucune valeur correspondante n'est trouvée, Access affiche un message d'information.

7. Lorsque votre recherche est terminée, cliquez sur le bouton **Annuler**.

Rechercher et remplacer des données

Non seulement vous pouvez effectuer une recherche d'informations dans une table, mais en plus Access propose une commande permettant de modifier une donnée par une autre à l'issue de la recherche. Procédez ainsi :

1. Ouvrez une table en mode Feuille de données.

2. Si vous souhaitez effectuer un remplacement dans un champ particulier, positionnez-vous n'importe où dans ce champ.

3. Sélectionnez l'onglet **Accueil**.

4. Dans le groupe *Rechercher*, cliquez sur le contrôle **Remplacer**.

5. Dans la rubrique *Rechercher*, acceptez le texte proposé ou saisissez-en un autre.

6. Dans la rubrique *Remplacer*, saisissez le nouveau texte.

7. Renseignez les autres options de la boîte de dialogue affichée comme dans la procédure précédente.

8. Lorsque votre remplacement est terminé, cliquez sur le bouton **Annuler**.

2.6 Trier des données

Trier les données consiste à les ordonner soit en ordre croissant (du plus petit au plus grand pour les nombres et en ordre alphabétique pour les textes), soit en ordre décroissant (du plus grand au plus petit pour les nombres et en ordre alphabétique inverse pour les textes).

Par défaut, une table est toujours triée par ordre alphabétique ou croissant sur sa clé primaire.

Triez les enregistrements de la table *T_Medias* par ordre alphabétique du titre de média. Pour cela :

1. Ouvrez la table contenant les enregistrements à trier en mode Feuille de données. Choisissez la table *T_Medias*.

2. Sélectionnez l'onglet **Accueil**.

3. Cliquez dans l'en-tête de la colonne à trier ou positionnez-vous dans n'importe quelle cellule de cette colonne. Cliquez sur le sélecteur du champ *TitreMedia*.

4. Dans le groupe *Trier et filtrer* et selon votre choix, cliquez sur le contrôle :

– 🔲 **Tri croissant**.

– 🔲 **Tri décroissant**.

Vous pouvez également cliquer du bouton droit. Dans le menu contextuel, vous retrouvez les commandes **Trier de A à Z** et **Trier de Z à A**.

Dans le menu contextuel, les commandes varient en fonction du type de données contenues dans le champ sélectionné.

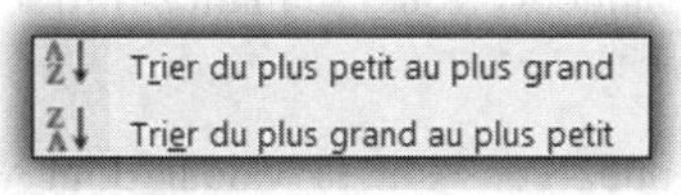

▲ Figure 2.62 : *Trier un champ Numérique, Monétaire ou NuméroAuto*

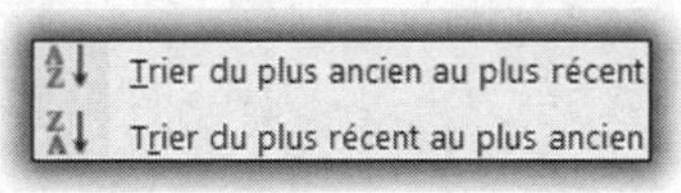

◄ Figure 2.63 :
Trier un champ
Date/Heure

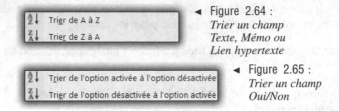

◄ Figure 2.64 :
Trier un champ
Texte, Mémo ou
Lien hypertexte

◄ Figure 2.65 :
Trier un champ
Oui/Non

5. Pour que l'ordre de tri appliqué soit conservé, enregistrez la table.

À la prochaine ouverture de la table, une mise à jour automatique du tri sur le champ choisi s'exécutera. C'est intéressant si vous ajoutez de nouveaux enregistrements dans votre table.

Néanmoins, si vous souhaitez que l'ordre de tri sur la clé primaire soit de nouveau appliqué, cliquez sur le contrôle **Effacer tous les tris** du groupe *Trier et filtrer*.

2.7 Filtrer les données

Le filtre consiste à extraire ponctuellement des enregistrements selon un ou plusieurs critères. En fait, seuls les enregistrements répondant aux critères spécifiés sont affichés, les autres sont masqués. Plusieurs types de filtres sont mis à votre disposition par Access.

Filtrer par sélection

Vous souhaitez extraire tous les médias dont le genre est *Bande dessinée*. Pour cela :

1. Ouvrez la table *T_Medias* sur laquelle vous souhaitez filtrer les données en mode Feuille de données.

2. Dans le champ souhaité, positionnez-vous sur la valeur dont vous voulez extraire les enregistrements correspondants. Placez-vous dans le champ *CodeGenre* et plus précisément sur une des données *Bande dessinée*.

3. Dans le groupe *Trier et filtrer* de l'onglet **Accueil**, cliquez sur le contrôle **Sélection**.

4. Sélectionnez le filtre désiré. Par exemple, sélectionnez *Égal à "Bande dessinée"*.

◄ Figure 2.66 :
Choix du filtre à appliquer

Seuls les enregistrements correspondant au critère souhaité apparaissent dans la feuille de données.

Dans la barre de navigation, en bas de la feuille de données, l'icône *Filtré* apparaît sur un fond orangé.

▼ Filtré

▲ Figure 2.67 : *L'icône Filtré indique que la feuille de données présente des enregistrements filtrés*

Vous pouvez maintenant imprimer le résultat de cette extraction ou l'exporter vers Excel.

L'exportation des données vers Excel sera traitée au chapitre *Access et les autres applications Office* en page 338.

Pour désactiver le filtre et afficher de nouveau tous les enregistrements, vous avez deux possibilités :

- Cliquez sur **Filtré** dans la barre de navigation.
- Dans le groupe *Trier et filtrer* de l'onglet **Accueil**, cliquez sur le contrôle **Supprimer le filtre**.

L'inconvénient est que ce filtre ne permet pas d'extraire selon plusieurs critères.

Si vous souhaitez appliquer de nouveau ce filtre, cliquez sur l'outil **Non filtré** dans la barre de navigation. Cet outil permet d'afficher le dernier filtre exécuté.

Enfin, n'hésitez pas à combiner les filtres sur plusieurs champs.

Utiliser les filtres courants

Les filtres par sélection proposent uniquement quatre choix, ce qui restreint rapidement le champ d'action. Access vous propose alors d'autres possibilités de filtrage dont la mise en œuvre est très simple. Il s'agit d'utiliser un menu accessible par un clic sur l'en-tête d'un champ. Pour aborder cet outil, nous étudierons quelques cas pratiques.

Utiliser les cases à cocher pour filtrer

Affichez tous les enregistrements dont le support est un DVD ou un CD-ROM.

1. Ouvrez la table sur laquelle vous souhaitez filtrer les données en mode Feuille de données. Ouvrez la table *T_Medias*.

2. Cliquez n'importe où dans une cellule du champ que vous désirez filtrer. Choisissez le champ *CodeSupport*.

3. Dans le groupe *Trier et filtrer* de l'onglet **Accueil**, cliquez sur le contrôle **Filtrer**.

4. Désactivez les cases à cocher dont les valeurs ne correspondent pas à celles que vous souhaitez filtrer. Puis cliquez sur OK.

◄ Figure 2.68 :
Décocher les cases (Vides) et Livre

Utiliser la commande Filtres

Filtrez tous les enregistrements dont le prix d'achat est supérieur ou égal à 7 €

1. Ouvrez la table *T_Medias* sur laquelle vous souhaitez filtrer les données en mode Feuille de données.

2. Cliquez n'importe où dans une cellule du champ que vous désirez filtrer. Choisissez le champ *PrixAchat*.

3. Dans le groupe *Trier et filtrer* de l'onglet **Accueil**, cliquez sur le contrôle **Filtrer**.

4. Sélectionnez successivement les commandes **Filtres de chiffres**, **Plus grand que**.

▲ Figure 2.69 : *Choix des options de filtrage*

5. Dans la boîte de dialogue **Filtre personnalisé**, saisissez votre critère. Puis cliquez sur OK afin d'exécuter le filtre.

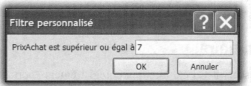

◄ Figure 2.70 :
Saisie du critère

> **Adéquation des filtres avec le type de champ**
>
> Vous avez pu constater que la liste des possibilités de filtres proposées dépend du type de données du champ interrogé.

Filtrez tous les enregistrements dont l'achat a été réalisé entre 2000 et 2002 compris

1. Ouvrez la table *T_Medias* sur laquelle vous souhaitez filtrer les données en mode Feuille de données.

2. Cliquez n'importe où dans une cellule du champ que vous désirez filtrer. Choisissez le champ *DateAchat*.

3. Dans le groupe *Trier et filtrer* de l'onglet **Accueil**, cliquez sur le contrôle **Filtrer**.

4. Sélectionnez successivement les commandes **Filtres de dates**, **Entre**.

5. Dans la boîte de dialogue **Entre les dates**, saisissez vos critères. Utilisez éventuellement l'outil **Calendrier**. Puis cliquez sur OK afin d'exécuter le filtre.

◄ Figure 2.71 :
Saisie du critère

Filtrer par formulaire

Ce type de filtre vous permet d'extraire des enregistrements portant sur différents champs et différents critères. Access crée une feuille de données vide identique à l'originale. Vous devez ensuite saisir les critères souhaités dans les champs choisis. Les combinaisons de filtrage sont ainsi quasiment illimitées.

Par exemple, vous souhaitez extraire tous les livres du genre *Bande dessinée* écrits par *Hergé*. Pour cela :

1. Ouvrez la table *T_Medias* sur laquelle vous souhaitez filtrer les données, en mode Feuille de données.

2. Dans le groupe *Trier et filtrer* de l'onglet **Accueil**, cliquez sur le contrôle **Options de filtre avancé**.

3. Activez la commande **Filtrer par formulaire**.

La fenêtre se transforme en une grille vide dans laquelle vous allez saisir vos critères. Il se peut qu'un critère soit déjà inséré. Ce dernier correspond à la valeur sélectionnée dans la feuille de données lors de l'appel du filtre par formulaire. Dans ce cas, supprimez simplement la valeur sélectionnée en appuyant sur la touche (Suppr).

4. Pour combiner des valeurs de plusieurs champs, saisissez ces données dans les colonnes appropriées ou, plus simplement, sélectionnez-les dans les listes déroulantes sous chaque champ.

Pour notre exemple :

– Dans le champ *CodeGenre*, sélectionnez le genre *Bande dessinée*.
– Dans le champ *CodeAuteur*, sélectionnez la valeur *Hergé*.

5. Pour exécuter le filtre, cliquez sur le contrôle **Appliquer le filtre** du groupe *Trier et filtrer*.

La grille affiche le résultat correspondant à la demande.

6. Basculez de nouveau dans la fenêtre de filtre en cliquant sur le contrôle **Options de filtre avancé** puis sur la commande **Filtrer par formulaire**.

Vous pouvez également saisir des opérateurs de comparaison dans le critère (=, <, <=, >, >=, <>).

Si vous souhaitez extraire des enregistrements correspondant à plusieurs valeurs au sein d'un même champ :

1. Saisissez un premier critère dans le champ choisi.

2. Cliquez sur l'onglet **Ou** en bas de la fenêtre active.

3. Saisissez votre second critère dans le même champ, puis appliquez le filtre.

Par exemple, vous souhaitez extraire tous les livres des genres *Roman* et *Bande dessinée*.

Sélectionnez *Roman* dans le champ *CodeGenre* de l'onglet **Rechercher**, puis sélectionnez *Bande dessinée* dans le champ *CodeGenre* de l'onglet **Ou**.

Pour effacer les critères posés afin de créer un autre filtre, cliquez sur le contrôle **Options de filtre avancé** puis sur le contrôle **Effacer la grille**.

Pour quitter le mode Filtre et revenir dans la table en mode Feuille de données, sans appliquer de filtre, cliquez sur la croix en haut à droite au-dessus de la fenêtre de filtre.

Sauvegarder un filtre

Si vous souhaitez conserver ce filtre afin de le réappliquer ultérieurement, vous pouvez le sauvegarder en tant que requête. Cliquez sur le contrôle **Options de filtre avancé** puis sur le contrôle **Enregistrer en tant que requête**.

Donnez un nom à cette requête. Vous retrouverez cet objet dans les requêtes.

Effacer définitivement un filtre

Lorsque vous n'avez plus l'utilité d'un filtre, vous pouvez le faire disparaître. Dans ce cas, l'outil **Non filtré** de la barre de navigation ne sera plus accessible.

Pour réaliser cette opération, deux possibilités vous sont offertes :

- 🔲 Dans le groupe *Trier et filtrer* de l'onglet **Accueil**, cliquez sur le contrôle **Options de filtre avancé**, puis activez la commande **Effacer tous les filtres**.

- Cliquez avec le bouton droit dans un champ filtré, puis activez la commande **Effacer le filtre de** *Nom du champ* dans le menu contextuel. Par exemple, vous pourriez avoir la mention "Effacer le filtre de CodeGenre".

Visualiser des données provenant de tables liées

Dans ce cas, vous n'utiliserez pas les outils de filtrage. Vous allez simplement apprendre à visualiser dans une table des informations liées à celles-ci et stockées dans une autre table (on pourra l'appeler une sous-table ou une sous-feuille).

Avant tout, un bref rappel s'impose. Vous souvenez-vous de ce qu'cst une table source ? C'est une table située du côté 1 dans une relation, par opposition à une tablc dcstination qui se trouve du côté ∞.

Vous souhaitez visualiser tous les médias du genre *Bande dessinée*. Pour cela :

1. Ouvrez la table source *T_Genres* en mode Feuille de données.

🔲 Dans la première colonne de gauche, en regard de chaque ligne, se trouve le symbole +.

2. Cliquez sur le symbole + situé au niveau de l'enregistrement dont la valeur de champ vous intéresse : *Bande dessinée*.

Cela a pour effet de dérouler une sous-feuille présentant les enregistrements liés à la table source sur la valeur choisie.

	11 Livre	Bande dessinée					
	NumMedia ▾	TitreMedia ▾	CodeSuppor ▾	CodeAuteur ▾	CodeEditeur ▾	DateAchat ▾	PrixAchat ▾
⊞	L0001	Tintin au Congo	LIVRE	HERGE	CASTERMAN	15/10/1982	7,00 €
⊞	L0004	Tintin en Amérique	LIVRE	HERGE	CASTERMAN	20/03/1988	7,60 €
	Total		2			20/03/1988	14,60 €
⊞	12 Vidéo	Dessin animé					

▲ Figure 2.72 : *Lignes de la table T_Medias dont le genre est Bande dessinée*

Pour masquer les données d'une sous-feuille, cliquez sur le signe - en regard de cette donnée.

Il est ainsi possible de visualiser plusieurs sous-feuilles en cascade. Par exemple, affichez tous les livres du genre *Roman*.

1. Ouvrez la table *T_TypesMedias* en mode Feuille de données.

2. Cliquez sur le symbole + de l'enregistrement *Livre*.

Comme la table *T_TypesMedias* est liée à deux tables, *T_Supports* et *T_Genres*, la boîte de dialogue **Insertion sous-feuille de données** vous demande de choisir la table parmi toutes les tables de votre base de données dont les enregistrements liés vous intéressent. À vous de faire le bon choix, sinon vous risquez d'obtenir des informations erronées. Choisissez la table *T_Genres*. Access reconnaît immédiatement le champ commun aux deux tables. La rubrique *Champs fils* correspond en quelque sorte à la clé étrangère (le champ *CodeType-Media*) et la rubrique *Champs pères* à la clé primaire (le champ *NumTypeMedia*).

▲ Figure 2.73 : *Choix de la table à afficher en tant que sous-feuille*

3. Cliquez sur le bouton OK.

La liste de tous les genres dépendant de la donnée *Livre* apparaît.

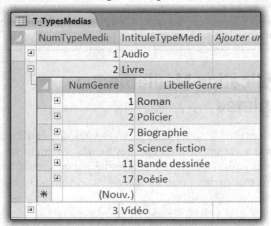

▲ Figure 2.74 : *Liste des genres associés au type de média Livre*

4. Cliquez sur le symbole + du genre *Roman*.

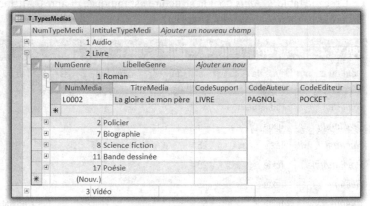

▲ Figure 2.75 : *Liste des livres du genre Roman*

5. Fermez la table *T_TypesMedias* sans enregistrer la mise en forme.

> **Efficacité des filtres**
>
> Les filtres sont des outils intéressants pour extraire ponctuel-lement des informations. On leur préférera les requêtes qui sont permanentes et plus simples à créer et à utiliser.

2.8 L'application Médiathèque complétée

Vous commencez à maîtriser votre sujet et vous vous dites qu'il serait judicieux d'ajouter à votre application une gestion des emprunts de vos médias. En effet, vos amis, connaissant la quantité importante de livres, CD et DVD dont vous disposez, ont tendance à vous solliciter pour de nombreux emprunts.

Pour réaliser cet exemple complémentaire sans avoir suivi les procédures précédentes, vous pouvez télécharger la base de données *C02-Médiathèque05.accdb* à l'adresse www.microapp.com.

1. Créez la table *T_Amis* dont la structure est indiquée ci-après. Attribuez la clé primaire au champ *NumAmi*.

Tab. 2.22 : Liste des champs de la table T_Amis				
Nom du champ	Type de données	Taille du champ	Format	Masque de saisie
NumAmi	NuméroAuto			
CiviliteAmi	Texte	15		
NomAmi	Texte	25	>	
PrenomAmi	Texte	20		
RueAmi	Texte	35		
CPAmi	Texte	5		Code postal
VilleAmi	Texte	25		
TelAmi	Texte	14		Téléphone
EmailAmi	Texte	20		

2. Créez la table *T_Emprunts* dont la structure est indiquée ci-après.

Nom du champ	Type de données	Taille du champ	Format	Masque de saisie
Tab. 2.23 : Liste des champs de la table T_Emprunts				
CodeAmi	Assistant Liste de choix basé sur la table *T_Amis*, contenant les champs *NumAmi*, *NomAmi* et *PrenomAmi* et trié sur *NomAmi* et *PrenomAmi*			
CodeMedia	Assistant Liste de choix basé sur la table *T_Medias*, contenant les champs *NumMedia* et *TitreMedia* et trié sur *TitreMedia*			
DateEmprunt	Date/Heure		Date, abrégé	Date, abrégé
DateRetour	Date/Heure		Date, abrégé	Date, abrégé

- Après la dernière étape de l'Assistant Liste de choix, n'acceptez pas la création des relations en automatique.
- Attribuez une clé primaire multiple aux champs *CodeAmi* et *CodeMedia*.

3. N'oubliez pas d'ajouter une description à chaque champ.

4. Établissez les relations qui s'imposent.

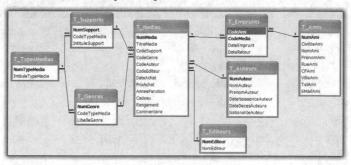

▲ Figure 2.76 : *Nouveau schéma relationnel de l'application Médiathèque*

5. Saisissez les quelques données fournies ci-après.

Tab. 2.24 : Informations à saisir dans la table T_Amis

Num	Civilité	Nom	Prénom	Rue	CP	Ville	Tél.	e-mail
1	Monsieur	OCHON	Paul	11 rue de Vaucanson	56000	Vannes	02 97 63 35 22	
2	Mademoiselle	TOIREDROLE	Alice	8 rue de la Chauvinière	44000	Nantes	02 40 53 20 10	a.drole@free.fr
3	Monsieur	TOUSSQUILA	Yvan	7 boulevard de la Tour d'Auvergne	35700	Rennes	02 99 20 35 81	ytousse@wanadoo.fr
4	Madame	PASAUFON	Natacha	3 impasse des Roitelets	44700	Orvault	02 40 52 86 21	
5	Monsieur	SITAMOB	Gary	25 rue des Merisiers	44100	Nantes	02 40 62 82 40	gtamob@oreka.com

Tab. 2.25 : Informations à saisir dans la table T_Emprunts

CodeAmi	CodeMedia	DateEmprunt	DateRetour
TOIREDROLE	Au nom d'une femme	15/03/2002	25/05/2002
TOUSSQUILA	Les ailes du désir	21/07/2003	28/07/2003
PASAUFON	Les fleurs du mal	28/06/2003	
PASAUFON	La vie est belle	13/11/2001	25/11/2001
SITAMOB	Tintin au Congo	17/05/1999	28/05/1999
SITAMOB	Tintin en Amérique	15/02/2001	21/03/2001
SITAMOB	La vie est belle	20/03/2003	

Vous trouverez la base de données complète, telle qu'elle doit se présenter en cette fin de chapitre, sous le nom de *C02-Médiathèque06.accdb*, en la téléchargeant sur notre site.

3

Créer et gérer des formulaires

3.1 Débuter avec les formulaires

Utilité d'un formulaire

La représentation des données dans une table est toujours organisée de la façon suivante :

■ Les champs sont placés les uns à côté des autres.

■ Les enregistrements sont situés les uns sous les autres.

Vous l'avez constaté dans le chapitre précédent, ce n'est pas un environnement de travail très agréable.

Bien que vous puissiez saisir des données dans les tables, le formulaire est un outil plus approprié pour la saisie, la consultation, la suppression ou la modification des informations.

Un formulaire permet d'alimenter plusieurs tables en même temps. Vous pouvez imbriquer des sous-formulaires dans un formulaire.

C'est un environnement de travail plus convivial et plus souple que les tables. De nombreux outils sont mis à votre disposition afin de personnaliser l'interface et de réaliser de belles mises en forme (insertion d'images, choix varié de polices, de couleurs, etc.). Pour l'utilisateur, saisir des informations dans un formulaire est certainement plus intuitif que de le faire dans une feuille de calcul.

L'autre intérêt est que vous pouvez placer un formulaire entre les mains de n'importe quel utilisateur sans craindre qu'il modifie votre interface (prévoyez juste une copie au cas où, ou interdisez-lui l'accès en mode Création), comme c'est souvent le cas pour une feuille de calcul Excel. Les seules erreurs possibles sont la suppression des données, encore faut-il que vous l'autorisiez.

Dans un formulaire, vous visualisez un ou plusieurs enregistrements à la fois. Seuls les champs souhaités peuvent être intégrés dans un formulaire.

Découvrir un formulaire

Un formulaire est toujours basé sur une table ou une requête. On appelle cette dernière la source du formulaire.

Tous les éléments composant un formulaire sont appelés des contrôles. Chaque contrôle a son nom et possède des propriétés qui lui sont propres. En mode Création, tout contrôle peut être ajouté, déplacé, redimensionné ou supprimé. L'apparence esthétique de chacun est également modifiable. Il existe trois catégories de contrôles :

■ Les contrôles dépendants : ils affichent le contenu d'un champ issu de la table ou de la requête source. Toute modification du contenu d'un champ en mode Saisie engendre des modifications dans la table d'où provient ce champ.

■ Les contrôles indépendants : ces contrôles n'ont aucun lien avec les champs de la table ou de la requête source. Cela peut être une image, un texte (on pourrait insérer un titre dans le formulaire *F_ListeMedias* de la forme Liste des médias stockés dans la médiathèque) ou des éléments graphiques (traits ou cadres).

■ Les contrôles calculés : ces contrôles sont indépendants car l'information qu'ils présentent n'est pas stockée dans une table. En revanche, ils contiennent des formules de calculs réalisées à partir de contrôles dépendants. L'information de ces contrôles est mise à jour à chaque changement d'enregistrement.

Voici un formulaire contenant différents contrôles mis à votre disposition par Access.

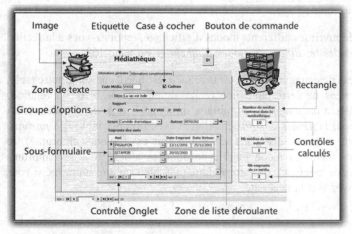

▲ Figure 3.1 : *Quelques contrôles utilisés dans un formulaire*

Les contrôles décrits sur l'écran précédent sont les plus couramment employés. D'autres sont bien sûr disponibles.

Créer un formulaire rapidement

C'est la méthode la plus simple pour créer un premier formulaire. Avec cette méthode, tous les champs de la table ou de la requête sont insérés dans le formulaire.

Vous créerez un formulaire basé sur la table *T_Medias*. Pour cela :

1. Ouvrez la base de données *C03-Médiathèque01.accdb*. Au besoin, téléchargez-la sur notre site à l'adresse www.microapp.com.

2. Dans le volet de navigation, cliquez sur la table (ou éventuellement la requête) contenant les données à faire figurer dans le formulaire. Pour notre exemple, sélectionnez la table *T_Medias*.

3. Dans le Ruban, cliquez sur l'onglet **Créer**.

4. Dans le groupe *Formulaires*, cliquez sur le contrôle **Formulaire**.

Le formulaire apparaît pratiquement instantanément dans l'espace de travail en mode Page.

Pour découvrir les différents modes d'affichage, reportez-vous à la section *Comprendre les différents modes d'affichage* en page 162.

Si Access détecte que la table ou la requête est liée à une seule autre table, les données de cette table liée (celle située du côté ∝ de la relation) apparaissent dans un sous-formulaire en mode Feuille de données. C'est le cas pour la table *T_Medias* en relation avec l'unique table *T_Emprunts*. En effet, si un média a été emprunté (ou est toujours emprunté), le sous-formulaire en mode Feuille de données affiche tous les emprunts relatifs à ce média. Ce sous-formulaire peut bien sûr être supprimé si vous n'en voyez pas la nécessité.

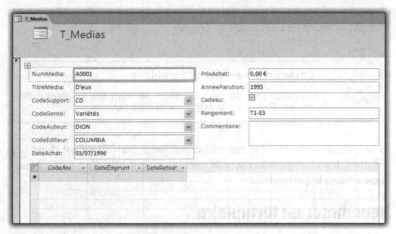

▲ Figure 3.2 : *Formulaire obtenu à l'aide de la commande Formulaire*

Si, en revanche, plusieurs autres tables sont liées à la table (ou requête) source par une relation de type un-à-plusieurs, alors aucun sous-formulaire n'est ajouté dans le formulaire principal.

Cette procédure de création de formulaire est rapide mais ne donne pas pleine satisfaction concernant :

- Le choix des données à faire figurer dans le formulaire ; tous les champs de la table sont automatiquement insérés.
- La présentation générale ; il reste un travail de mise en forme relativement important à réaliser.

Sachez que le formulaire obtenu hérite de toutes les propriétés définies dans la table (taille, format, masque de saisie, liste déroulante, etc.).

Enregistrer un formulaire

Enregistrez le formulaire créé précédemment. Pour cela, cliquez sur l'outil **Enregistrer**.

Si vous enregistrez le formulaire pour la première fois, la boîte de dialogue **Enregistrer sous** apparaît. Acceptez le nom proposé par Access ou saisissez-en un nouveau, puis cliquez sur le bouton OK. Nommez le formulaire précédemment créé *F_Disques*.

> **Caractères à ajouter au formulaire**
>
> N'oubliez pas de faire précéder le nom du formulaire des caractères "F_" et de le faire suivre d'un "s".

Si le formulaire a déjà été enregistré une première fois (il est donc déjà nommé), les modifications sont automatiquement prises en compte, sans autre demande particulière.

Renommer un formulaire

En fait, le formulaire créé précédemment permet la saisie de disques mais également de livres et de vidéos. Vous allez donc lui donner un nom plus généraliste. Pourquoi ne pas l'appeler tout simplement *F_Medias* ? Procédez ainsi :

1. Assurez-vous que le formulaire est fermé.

2. Dans le volet de navigation, cliquez du bouton droit sur le formulaire *F_Disques* à renommer.

3. Dans le menu contextuel, sélectionnez la commande **Renommer**.

Le nom du formulaire apparaît en surbrillance, encadré d'une bordure bleue.

4. Saisissez directement au clavier le nouveau nom. Pour votre exemple, saisissez F_Medias.

5. Validez en appuyant sur la touche (Entrée) de votre clavier.

Comprendre les différents modes d'affichage

Pour un formulaire, Access offre trois modes d'affichage :

- Mode Formulaire : c'est le mode utilisé pour la saisie conviviale des données. Doté d'éléments graphiques (images, listes déroulantes, cases à cocher), la saisie y est très intuitive. Nul besoin de formation pour utiliser un formulaire en saisie. Il peut afficher un ou plusieurs enregistrements à la fois.

■ Mode Page : c'est un mode utilisé pour effectuer des modifications dans l'état. Cet affichage permet de visualiser le contenu des champs tout en effectuant les améliorations souhaitées dans le formulaire. Aucune saisie de données n'est possible dans ce mode.

■ Mode Création : c'est le mode le plus complet pour créer ou modifier la présentation d'un formulaire, ajouter ou supprimer des contrôles. Il offre une vue détaillée de la structure du formulaire.

Pour basculer d'un mode à l'autre :

1. Sélectionnez l'onglet **Accueil**.

2. Dans le groupe *Affichages* :

   – Cliquez directement sur le contrôle correspondant à l'affichage voulu si l'icône proposée correspond au mode souhaité.
   – Ou cliquez sur le bouton fléché situé immédiatement à droite de l'outil **Affichage**, puis sélectionnez le mode souhaité dans la liste.

Tab. 3.1 : Les différents modes d'affichage d'un formulaire	
Icône	Signification
	Passage au mode Formulaire
	Passage au mode Page
	Passage au mode Création

Dans la suite du chapitre, la plupart des manipulations de modification seront réalisées en mode Création plutôt qu'en mode Page, le mode

Création offrant plus de possibilités. Lorsqu'une manipulation devra s'effectuer en mode Page, cela vous sera signalé.

Ouvrir un formulaire existant

Afin de modifier sa présentation et les objets qui le composent, un formulaire peut être ouvert directement en mode Création ou en mode Page. Pour cela :

1. Dans le volet de navigation, déroulez le groupe *Formulaires*.

2. Faites un clic droit sur le formulaire à ouvrir.

3. Pour ouvrir le formulaire :

– En mode Création, activez la commande **Mode Création** du menu contextuel.

– En mode Page, activez la commande **Mode Page** du menu contextuel.

Ouvrir un formulaire existant en mode Formulaire

Afin de consulter, d'ajouter, de supprimer ou de modifier des données par l'intermédiaire d'un formulaire, il convient de l'ouvrir directement en mode Saisie, encore appelé mode Formulaire. Pour cela :

1. Dans le volet de navigation, déroulez le groupe *Formulaires*.

2. Double-cliquez sur le formulaire souhaité.

Créer un formulaire à l'aide de l'Assistant Formulaire

Vous avez vu comment réaliser rapidement un formulaire avec l'outil **Formulaire**. Celui-ci vous permet de créer un masque de saisie en incorporant tous les champs d'une seule table. Or, il n'est pas toujours nécessaire que tous les champs soient visibles dans le formulaire. Avec la procédure suivante, vous intégrerez uniquement les champs souhaités d'une ou plusieurs tables.

Par exemple, vous souhaitez réaliser un formulaire permettant de consulter la liste de tous les médias contenus dans votre bibliothèque avec les informations suivantes : numéro, titre, support, nom de l'auteur, genre, date et prix d'achat. Nous nous limiterons à ajouter des champs provenant d'une seule table. Pour cela :

1. Sélectionnez l'onglet **Créer**.

2. Dans le groupe *Formulaires*, déroulez le contrôle **Plus de formulaires**, puis activez la commande **Assistant Formulaire**.

   La boîte de dialogue **Assistant formulaire** est lancée. Vous suivrez quatre étapes pour réaliser un formulaire personnalisé.

3. Pour cette première étape, dans la rubrique *Tables/Requêtes*, sélectionnez la table souhaitée, puis dans la rubrique *Champs disponibles*, sélectionnez tour à tour les champs à visualiser dans le formulaire. Si vous souhaitez ajouter des champs provenant d'une autre table, sélectionnez-en une autre dans la rubrique *Tables/Requêtes*. Procédez ainsi pour tous les champs choisis.

   Pour ajouter ou enlever les champs à intégrer au formulaire, utilisez les boutons suivants :

Tab. 3.2 : Boutons permettant l'ajout ou la suppression de champs	
Bouton	Signification
>	Ajoute le champ sélectionné dans la liste *Champs disponibles*
>>	Ajoute tous les champs de la table sélectionnée dans la liste *Champs disponibles*
<	Supprime le champ sélectionné de la liste *Champs disponibles*
<<	Supprime tous les champs de la liste *Champs disponibles*

Pour votre exemple, sélectionnez la table *T_Medias* et les champs *NumMedia*, *TitreMedia*, *CodeSupport*, *CodeGenre*, *CodeAuteur*, *Date Achat* et *PrixAchat*.

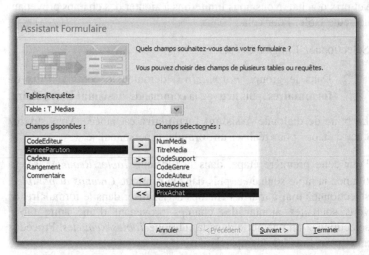

▲ Figure 3.3 : *Choix des tables et champs à incorporer dans le formulaire*

Ajout rapide d'un champ

Un double-clic sur le champ choisi permet de le transférer dans la rubrique *Champs sélectionnés*.

4. Une fois tous les champs sélectionnés, cliquez sur le bouton **Suivant**.

5. Sélectionnez le mode de présentation désiré (pour l'exemple, cochez l'option *Tabulaire*). Cliquez sur le bouton **Suivant** (voir Figure 3.4).

Quatre présentations vous sont proposées :

– Colonne simple : le formulaire affiche les champs les uns à la suite des autres et un seul enregistrement par écran.

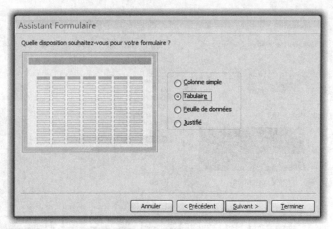

▲ Figure 3.4 : *Choix de la présentation*

– Tabulaire : le formulaire affiche les champs les uns à côté des autres et permet de visualiser plusieurs lignes d'enregistrements. C'est un affichage sous forme de tableau.

– Feuille de données : c'est le même affichage que le mode Feuille de données des tables.

– Justifié : le formulaire affiche les champs juxtaposés les uns par rapport aux autres et un seul enregistrement par écran. C'est un mode d'affichage difficile à modifier par la suite.

N'hésitez pas à sélectionner tour à tour chaque option, afin de visualiser l'exemple proposé.

6. Sélectionnez le style de formulaire souhaité en cliquant dessus. Cela correspond à la mise en forme appliquée à l'ensemble du formulaire (fond d'écran, couleur et style des caractères, etc.). N'hésitez pas à les parcourir tous une première fois pour les visualiser. Cliquez sur le bouton **Suivant**.

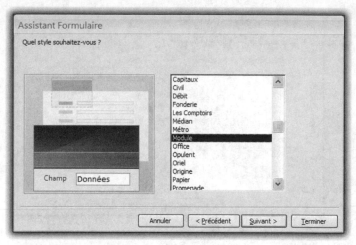

▲ Figure 3.5 : *Choix du style de formulaire*

7. À la dernière étape, nommez le formulaire créé *F_ListeMedias* et laissez l'option *Ouvrir le formulaire pour afficher ou entrer des infos* cochée. Cliquez sur le bouton **Terminer**.

▲ Figure 3.6 : *Dernière étape requise par l'assistant*

À l'issue de ces quatre étapes, le formulaire est créé et s'ouvre en mode Formulaire, vous permettant ainsi d'ajouter des données ou de consulter les informations déjà saisies.

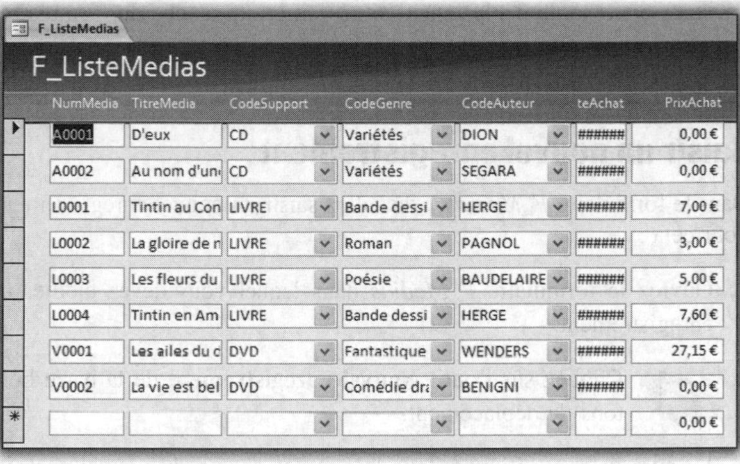

NumMedia	TitreMedia	CodeSupport	CodeGenre	CodeAuteur	teAchat	PrixAchat
A0001	D'eux	CD	Variétés	DION	######	0,00 €
A0002	Au nom d'une	CD	Variétés	SEGARA	######	0,00 €
L0001	Tintin au Con	LIVRE	Bande dessi	HERGE	######	7,00 €
L0002	La gloire de n	LIVRE	Roman	PAGNOL	######	3,00 €
L0003	Les fleurs du	LIVRE	Poésie	BAUDELAIRE	######	5,00 €
L0004	Tintin en Am	LIVRE	Bande dessi	HERGE	######	7,60 €
V0001	Les ailes du c	DVD	Fantastique	WENDERS	######	27,15 €
V0002	La vie est bel	DVD	Comédie dra	BENIGNI	######	0,00 €
						0,00 €

▲ Figure 3.7 : *Extrait du formulaire obtenu à l'issue de la procédure*

Il reste encore à améliorer la présentation du formulaire (agrandir ou diminuer certains contrôles, en déplacer d'autres, modifier les couleurs de texte ou de remplissage, etc.).

Ces modifications seront abordées à partir de la page 175.

Se déplacer dans un formulaire

Les déplacements dans les formulaires s'effectuent comme les déplacements dans les tables. Rappelons quelques manipulations utiles :

- Pour vous déplacer d'un champ vers le suivant dans un enregistrement, utilisez :

  – Les touches [Entrée], [Tab], [→] ou [↓] du clavier.
  – La souris en cliquant directement dans le champ souhaité.

- Pour vous déplacer d'un champ vers le précédent dans un enregistrement, utilisez :

– Les touches [Maj]+[Tab], [←] ou [↑] du clavier.

– La souris en cliquant directement dans le champ souhaité.

■ Pour vous déplacer d'enregistrement en enregistrement, utilisez la barre boutons de déplacement située en bas à gauche du formulaire.

Pour des explications plus détaillées, consultez le chapitre *Créer et gérer des tables* à la page 133.

Saisir un nouvel enregistrement

Dans le formulaire *F_Medias*, vous allez saisir un nouvel enregistrement. Pour cela :

1. Ouvrez le formulaire *F_Medias* dans lequel vous devez ajouter un enregistrement.

2. Cliquez sur l'outil **Nouvel enregistrement** de la barre boutons de déplacement.

Le curseur se positionne dans le premier champ du nouvel enregistrement.

3. Saisissez les données fournies ci-après.

Tab. 3.3 : Données de la table T_Medias (1re partie)					
NumMedia	TitreMedia	Code Support	CodeGenre	CodeAuteur	Code Editeur
L0005	Astérix le Gaulois	Livre	Bande dessinée	Goscinny	Dargaud
V0003	Les Bronzés	DVD	Comédie	Leconte	Film Office

Tab. 3.4 : Données de la table T_Medias (2e partie)					
DateAchat	PrixAchat en €	Annee Parution	Cadeau	Rangement	Commentaire
10/08/1994	8,50	1961	Non	A3-E6	
21/02/2003	22,50	1978	Non	MV2-E6	

Supprimer un enregistrement

Pour supprimer un enregistrement, procédez ainsi :

1. Cliquez sur le sélecteur d'enregistrement (rectangle gris, à gauche de l'enregistrement) de l'enregistrement à supprimer. Sélectionnez par exemple l'enregistrement correspondant au livre *La gloire de mon père* de Marcel Pagnol.

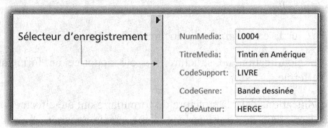

NumMedia:	L0004
TitreMedia:	Tintin en Amérique
CodeSupport:	LIVRE
CodeGenre:	Bande dessinée
CodeAuteur:	HERGE

Sélecteur d'enregistrement

▲ Figure 3.8 : *Sélection d'un enregistrement*

2. Appuyez sur la touche (Suppr) du clavier.

3. Dans la boîte de dialogue affichée, acceptez la suppression en cliquant sur le bouton **Oui**. En cliquant sur le bouton **Non**, vous annulez l'opération de suppression. Pour l'exemple en cours, cliquez sur le bouton **Non** afin de ne pas supprimer cet enregistrement.

> **Sélection de plusieurs enregistrements à supprimer**
>
> En mode Feuille de données ou en mode Formulaire style tabulaire, il suffit de cliquer-glisser sur tous les sélecteurs des enregistrements à supprimer.

Attention, cette action est irréversible.

Rechercher, remplacer, trier et filtrer des enregistrements

Ces opérations s'effectuent comme dans les tables en mode Feuille de données.

Pour des explications détaillées, reportez-vous au chapitre *Créer et gérer des tables*, à partir de la page 142.

Fermer un formulaire

Pour fermer un formulaire, procédez ainsi :

1. Positionnez-vous dans le formulaire à fermer. En principe, le formulaire *F_Medias* est encore ouvert.

2. Cliquez sur la case *Fermer* du document à onglet.

Si aucune modification de structure n'a été apportée au formulaire, celui-ci se ferme.

Si des modifications dans la structure du formulaire ont été effectuées, un message demandant de confirmer ces changements apparaît. À vous de choisir si vous acceptez ces transformations.

Supprimer un formulaire

1. Assurez-vous que le formulaire est fermé.

2. Dans le volet de navigation, sélectionnez le formulaire à supprimer. Choisissez par exemple le formulaire *F_ListeMedias*.

3. Appuyez sur la touche [Suppr] de votre clavier.

4. Dans la boîte de dialogue affichée, cliquez sur le bouton **Oui**. Si vous décidez d'annuler votre action, cliquez sur le bouton **Non** (pour votre exemple, cliquez sur **Non**).

3.2 Personnaliser un formulaire

Comprendre et modifier les différentes sections d'un formulaire

Lorsque vous ouvrez le formulaire en mode Création, la fenêtre est divisée en trois sections. C'est dans ces dernières que vous allez modifier la structure et l'allure finale du formulaire. Chaque section est précédée d'une barre rectangulaire grise contenant le nom de la section.

- La section *En-tête de formulaire* permet de visualiser constamment, quand vous passez en mode Formulaire, les données qu'elle contient. Dans cette section, il est recommandé de saisir des informations figées telles qu'un titre, un commentaire ou une image.

- La section *En-tête de page* affiche des informations en haut de chaque nouvelle page et uniquement à l'impression (ou à l'aperçu avant impression) du formulaire. Par défaut, cette section n'est jamais affichée.

- La section *Détail* contient, en principe, tous les champs à renseigner. Vous pouvez également y ajouter des éléments graphiques.

- La section *Pied de page* affiche des informations en bas de chaque nouvelle page et uniquement à l'impression (ou à l'aperçu avant impression) du formulaire. Par défaut, cette section n'est jamais affichée.

- Le fonctionnement de la section *Pied de formulaire* est identique à celui de la section *En-tête de formulaire*. Simplement, les informations qu'elle contient sont toujours visualisées en bas du formulaire.

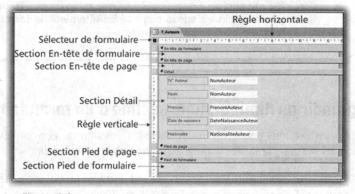

▲ Figure 3.9 : *Description du formulaire en mode Création*

Sélectionner une section

Cliquez sur son nom ou à l'intérieur de cette section.

Utilité des sections

Lorsque le formulaire est affiché sous la forme colonne simple, il est inutile d'afficher les en-tête et pied de formulaire. Cela devient intéressant lorsque le formulaire est affiché sous forme tabulaire. Vous pouvez ainsi insérer un titre en en-tête et effectuer des calculs en pied.

Les sections *En-tête* et *Pied de page* sont peu utiles car, en principe, un formulaire n'est pas destiné à être imprimé. Si c'est le cas, c'est une exception. Il n'est donc pas recommandé d'alourdir le formulaire en mode Création.

Afficher ou masquer une section (autre que la section Détail)

- Pour la section *En-tête et Pied de page*, dans l'onglet **Réorganiser**, cliquez sur le contrôle **En-tête et pied de page** du groupe *Afficher/Masquer*.
- Pour la section *En-tête et Pied d'état*, dans l'onglet **Réorganiser**, cliquez sur le contrôle **En-tête/pied de formulaire** du groupe *Afficher/Masquer*.

Agrandir ou diminuer une section d'un formulaire

Toutes les sections peuvent être redimensionnées afin de personnaliser, selon les besoins, la taille de la fenêtre **Formulaire**. Pour cela :

1. Positionnez-vous sur l'un des bords du formulaire ou entre deux sections. Le pointeur prend la forme d'une flèche noire verticale ou horizontale à double pointe.

2. Faites un cliquer-glisser de façon à ajuster la taille de la section comme vous le souhaitez.

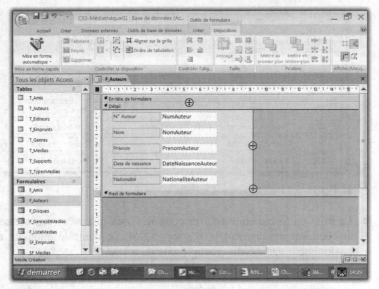

▲ Figure 3.10 : *Dimensionner une section*

Comprendre les mises en forme de contrôle

À l'issue de la création d'un formulaire, vous pouvez constater que les contrôles sont tous enchaînés de manière à former un unique groupe. Vous ne pouvez pas déplacer les contrôles indépendamment les uns des autres ou à l'extérieur du cadre formé. En revanche, vous pouvez déplacer un contrôle à l'intérieur du groupe. Access appelle cette disposition une mise en forme de contrôle ou une disposition de contrôle. Cette disposition a l'avantage de conserver l'alignement des contrôles et leur répartition proportionnelle à l'intérieur du cadre. Cette disposition ressemble à un tableau style feuille de calcul où chaque contrôle occupe une cellule.

Access propose deux mises en forme de contrôle :

- La mise en forme tabulaire : les contrôles sont disposés en colonnes comme une feuille de calcul. Une mise en forme tabulaire occupe deux sections : les étiquettes des champs sont situées dans la section *En-tête de formulaire* et les champs sont placés dans la section *Détail*.

N° média	Titre média	Support		Genre	
A0001	D'eux	CD	˅	Variétés	˅
A0002	Au nom d'une femme	CD	˅	Variétés	˅
L0001	Tintin au Congo	LIVRE	˅	Bande dessinée	˅
L0002	La gloire de mon père	LIVRE	˅	Roman	˅
L0003	Les fleurs du mal	LIVRE	˅	Poésie	˅
L0004	Tintin en Amérique	LIVRE	˅	Bande dessinée	˅
L0005	Astérix le Gaulois	LIVRE	˅	Bande dessinée	˅
V0001	Les ailes du désir	DVD	˅	Fantastique	˅

▲ Figure 3.11 : *Disposition tabulaire*

- La mise en forme empilée : les contrôles sont disposés verticalement et occupent uniquement la section *Détail*. Le contrôle étiquette est positionné à gauche du champ (zone de texte).

Num média	L0001	
Titre média	Tintin au Congo	
Genre	Bande dessinée	˅
Support	LIVRE	˅
Auteur	HERGE	˅
Editeur	CASTERMAN	˅
Date Achat	15/01/1982	

▲ Figure 3.12 : *Disposition empilée*

 Pour basculer d'une disposition de contrôle tabulaire à une disposition empilée, cliquez sur le contrôle **Empilé** du groupe *Contrôler la disposition* dans l'onglet **Réorganiser**.

 Pour basculer d'une disposition de contrôle empilée à une disposition tabulaire, cliquez sur le contrôle **Tabulaire** du groupe *Contrôler la disposition* dans l'onglet **Réorganiser**.

Pour déplacer un contrôle dans une disposition de contrôle, faites glisser le contrôle à l'emplacement souhaité. Pendant le déplacement du champ, une barre verticale ou horizontale vous indique où sera placé le contrôle lorsque vous relâcherez la souris.

Pour supprimer un contrôle dans une mise en forme de contrôle :

1. Sélectionnez le contrôle à extraire du groupe.

2. Dans l'onglet **Réorganiser**, cliquez sur l'outil **Supprimer** du groupe *Contrôler la disposition*.

Pour supprimer tous les contrôles d'une mise en forme de contrôle et rendre sa liberté à chaque contrôle :

1. Cliquez sur le sélecteur de disposition dans le coin supérieur gauche de la disposition, représenté par un carré contenant une flèche à quatre pointes.

2. Dans l'onglet **Réorganiser**, cliquez sur l'outil **Supprimer** du groupe *Contrôler la disposition*.

Sélectionner un ou plusieurs contrôles

Utiliser les symboles de sélection d'un contrôle

Différents symboles sont associés à un contrôle, en fonction de la position du pointeur sur ce contrôle.

Tab. 3.5 : Symboles associés à un contrôle en fonction de la position du pointeur	
Symbole	Description
	Poignée de redimensionnement du contrôle sélectionné
	Poignée de déplacement du contrôle sélectionné

Tab. 3.5 : Symboles associés à un contrôle en fonction de la position du pointeur	
Symbole	**Description**
↕	Formes du pointeur lorsqu'un contrôle est redimensionné
↖	
↔	
✛	Forme du pointeur lorsqu'un contrôle est déplacé

Sélectionner un contrôle

1. Cliquez sur le contrôle souhaité.

2. Une fois le contrôle sélectionné, il est entouré de poignées de redimensionnement.

◄ Figure 3.13 :
Contrôle zone de texte sélectionné

astuce

Sélection d'une zone de texte

Cliquez dans la zone de texte (le champ) et non dans l'étiquette généralement positionnée à gauche.

Sélectionner plusieurs contrôles contigus

Faites un cliquer-glisser autour des contrôles à sélectionner de manière à les encadrer (ou à passer partiellement dessus).

◄ Figure 3.14 :
*Sélection de plusieurs
contrôles*

◄—— Cadre de sélection

Sélection partielle des contrôles

Au préalable, vérifiez que l'option d'encadrement partiel est activée. Pour cocher cette option (en principe définie par défaut à l'installation d'Access), cliquez sur le bouton **Office** puis sur le bouton de commande **Options Access**. Sélectionnez la catégorie *Concepteurs d'objets*. Dans la rubrique *Mode de sélection des objets* du groupe *Formulaires/Etats*, cochez l'option *Partiellement encadrés*.

Sélectionner plusieurs contrôles non contigus

1. Sélectionnez un premier contrôle.

2. Maintenez la touche [Maj] enfoncée et cliquez successivement sur les autres contrôles à sélectionner.

Déplacer des contrôles

Déplacer un contrôle

Pour déplacer un ou plusieurs contrôles sélectionnés, voici deux solutions possibles :

■ Pointez sur un des quatre bords de la sélection de façon que le pointeur prenne la forme d'une flèche blanche surmontée d'une flèche à quatre pointes. Puis faites glisser la sélection à l'endroit souhaité.

■ Utilisez les touches de votre clavier :

- [→] pour déplacer le contrôle vers la droite.

- [←] pour déplacer le contrôle vers la gauche.

- [↑] pour déplacer le contrôle vers le bas.

– ↑ pour déplacer le contrôle vers le haut.

La première méthode permet de déplacer rapidement le contrôle vers son nouvel emplacement. En revanche, la deuxième possibilité est très pratique pour affiner le positionnement d'un contrôle à un endroit précis.

Déplacer une partie de contrôle

Vous avez pu constater qu'un champ (ou zone de texte) et son étiquette se déplacent ensemble car ils sont liés. Pour déplacer une zone de texte indépendamment de son étiquette, procédez ainsi :

1. Sélectionnez la zone de texte à déplacer.

2. Pointez sur le plus grand carré (situé en haut à gauche de la zone de texte). Le pointeur prend la forme d'une flèche blanche surmontée d'une flèche à quatre pointes.

3. Cliquez-glissez la zone de texte vers son nouvel emplacement.

Redimensionner des contrôles

Sélectionnez le contrôle à redimensionner. Pour cela :

1. Pointez sur une des poignées de redimensionnement du contrôle. Le pointeur prend la forme d'une flèche verticale, horizontale ou oblique à double pointe.

2. Cliquez-glissez de manière à agrandir ou à diminuer le contrôle.

Supprimer un contrôle

1. Cliquez sur le contrôle à supprimer. Par exemple, dans le formulaire *F_Medias*, sélectionnez la zone de texte *Commentaire*.

2. Appuyez sur la touche Suppr du clavier. La zone de texte et l'intitulé disparaissent.

Supprimer un intitulé

Pour ne supprimer que l'intitulé associé à une zone de texte ou à tout autre contrôle, sélectionnez uniquement l'intitulé et appuyez sur la touche (Suppr). Seule l'étiquette disparaît ; le reste du contrôle demeure en place.

Ajouter un contrôle zone de texte

Intégrez de nouveau le contrôle commentaire. Pour cela :

1. Cliquez sur l'outil **Ajouter des champs existants** du groupe *Créer* sous l'onglet **Création**.

Une nouvelle fenêtre apparaît, présentant :

— Dans son cadre supérieur, la liste des champs contenus dans la ou les tables ayant servi à l'élaboration du formulaire.

— Dans son cadre central, la liste des champs contenus dans les tables en liaison avec la ou les tables sources du formulaire.

— Dans son cadre inférieur, la liste des champs de toutes les autres tables de la base de données.

2. Cliquez et faites glisser le champ choisi (*Commentaire*) de la fenêtre **Liste de champs** vers l'emplacement souhaité dans le formulaire. Intitulé et zone de texte apparaissent de nouveau dans le formulaire.

Modifier l'alignement des contrôles

L'apparence du formulaire *F_Medias* n'est pas satisfaisante. Vous allez donc améliorer l'alignement des contrôles les uns par rapport aux autres.

Si vous le souhaitez, vous pouvez télécharger la base de données *C03-Médiathèque01.accdb* sur le site de Micro Application pour continuer les différentes applications décrites ci-après. Cette base de données contient les manipulations réalisées précédemment.

Avant tout, présentons les différents alignements proposés par Access pour améliorer la présentation des formulaires.

Tab. 3.6 : Description des alignements de contrôles

Type d'alignement	Icône	Description
Sur la grille		Tous les contrôles s'alignent sur une grille virtuelle du formulaire
Gauche		Tous les contrôles s'alignent sur le contrôle le plus à gauche de la sélection
Droite		Tous les contrôles s'alignent sur le contrôle le plus à droite de la sélection
Haut		Tous les contrôles s'alignent sur le contrôle le plus en haut de la sélection
Bas		Tous les contrôles s'alignent sur le contrôle le plus en bas de la sélection

1. Sélectionnez les contrôles concernés. Si vous décidez d'aligner les étiquettes de champs, faites attention à ne pas sélectionner les zones de texte, et inversement. Vous obtiendriez alors un résultat surprenant et inesthétique.

2. Sélectionnez l'onglet **Réorganiser**.

3. Dans le groupe *Contrôler l'alignement*, cliquez sur le contrôle adapté à votre besoin.

Dans le formulaire *F_Medias*, en suivant l'écran proposé ci-après :

■ Alignez les contrôles étiquettes sur le bord gauche de la fenêtre.

■ Alignez les contrôles zones de texte sur le contrôle le plus à gauche (voir Figure 3.15).

Arrangez-vous pour que les contrôles ne se superposent pas après l'alignement. Si tel est le cas, déplacez-en certains au préalable. N'oubliez pas que l'alignement à gauche se fait toujours sur le contrôle le plus à gauche de la sélection.

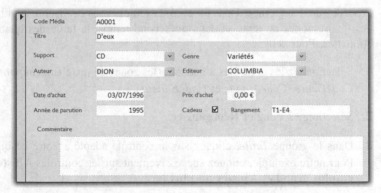

▲ Figure 3.15 : *Amélioration des alignements du formulaire F_Medias*

Adapter les hauteurs et largeurs des contrôles

Présentons les différents ajustements de taille proposés par Access pour améliorer la présentation des formulaires.

Tab. 3.7 : Description des ajustements de taille des contrôles		
Type d'ajustement	**Icône**	**Description**
Au plus grand		Tous les contrôles s'ajustent à la hauteur du contrôle le plus grand de la sélection
Au plus petit		Tous les contrôles s'ajustent à la hauteur du contrôle le plus petit de la sélection
Au plus large		Tous les contrôles s'ajustent à la largeur du contrôle le plus large de la sélection
Au plus étroit		Tous les contrôles s'ajustent à la largeur du contrôle le plus étroit de la sélection

Vous souhaitez ajuster à la même taille, en largeur et en hauteur, les contrôles *CodeSupport*, *CodeGenre*, *CodeAuteur* et *CodeEditeur*.

Procédez en deux temps. Dans un premier temps, vous égaliserez la taille des quatre zones de texte et dans un second temps, la taille des quatre étiquettes. Pour cela :

1. Sélectionnez les contrôles à égaliser (les zones de texte *CodeSupport*, *CodeGenre*, *CodeAuteur* et *CodeEditeur*).

2. Sélectionnez l'onglet **Réorganiser**.

3. Dans le groupe *Taille*, cliquez sur le contrôle adapté à votre besoin. Pour notre exemple, cliquez successivement sur les contrôles **Ajuster au plus grand** et **Ajuster au plus large**.

4. Réitérez les opérations précédentes sur les étiquettes *CodeSupport*, *CodeGenre*, *CodeAuteur* et *CodeEditeur*.

Harmoniser l'espacement entre les contrôles

Cette fonction permet d'égaliser les écarts verticaux ou horizontaux entre les contrôles dans un formulaire.

Égaliser les espacements verticaux

1. Sélectionnez plusieurs contrôles situés à la verticale les uns des autres. Par exemple, sélectionnez les zones de texte *NumMedia*, *TitreMedia*, *CodeSupport*, *CodeAuteur*, *DateAchat* et *AnneeParution*.

   Faites attention de choisir les zones de texte et non les étiquettes.

2. Sélectionnez l'onglet **Réorganiser**.

3. Dans le groupe *Position*, cliquez sur le contrôle **Egaliser l'espacement vertical**.

Les espaces entre les contrôles sont proportionnels les uns par rapport aux autres.

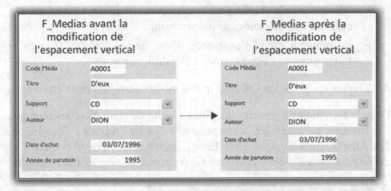

▲ Figure 3.16 : *Résultat obtenu après application de l'espacement vertical*

Égaliser les espacements horizontaux

1. Sélectionnez plusieurs contrôles situés à l'horizontale les uns des autres.

2. Sélectionnez l'onglet **Réorganiser**.

3. Dans le groupe *Position*, cliquez sur le contrôle **Egaliser l'espacement horizontal**.

Modifier l'ordre de tabulation

Après avoir effectué des déplacements ou des ajouts de champs, il arrive que leur ordre d'affichage soit quelque peu perturbé. Or, cet ordre n'est pas modifié en saisie. Lorsque l'utilisateur tabule pour passer d'un champ au suivant, l'ordre initial est maintenu. Faites un essai pour vous rendre compte du désagrément que cela peut causer. Il faut donc rétablir ce qu'on appelle l'ordre de tabulation. Pour cela :

1. Sélectionnez l'onglet **Réorganiser**.

2. Dans le groupe *Contrôler la disposition*, cliquez sur le contrôle **Ordre de tabulation**.

3. Dans la boîte de dialogue **Ordre de tabulation** :

– Sélectionnez le champ dont l'ordre de tabulation est à déplacer, en cliquant dans le sélecteur de ce champ.

– Le pointeur prend l'apparence d'une flèche blanche. Cliquez et faites glisser la ligne entière à l'endroit souhaité.

4. Cliquez sur le bouton OK pour que la modification soit prise en compte.

Dans le formulaire *F_Medias*, modifiez l'ordre de tabulation de façon que l'utilisateur parcoure les champs dans l'ordre suivant : *NumMedia, TitreMedia, CodeSupport, CodeAuteur, DateAchat, AnneeParution, CodeGenre, CodeEditeur, PrixAchat, Cadeau, Rangement* et *Commentaire*.

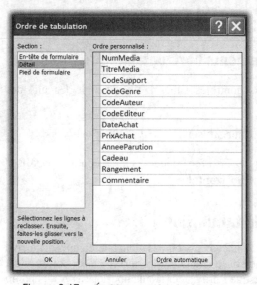

▲ Figure 3.17 : *Établir un ordre de tabulation correct*

Modifier la taille, le style, l'alignement et les couleurs des contrôles

Les outils de mise en forme ont déjà été répertoriés et décrits dans la section *Utiliser les onglets de commandes* du chapitre *Découverte de l'environnement Microsoft Access 2007* en page 142.

1. Sélectionnez le ou les contrôles dont l'apparence est à modifier.

2. Appliquez une de ces deux solutions :

- Cliquez sur l'outil approprié dans le groupe *Police* de l'onglet **Accueil**.
- Cliquez sur l'outil approprié dans le groupe *Police* de l'onglet **Création**.

Outil indisponible

Si un outil est grisé, c'est que cette mise en forme n'est pas applicable au contrôle sélectionné.

Utiliser les outils d'encadrement

Les outils permettant la mise en forme des bordures (type d'encadrement, épaisseur, style de bordure et couleur) se trouvent dans le groupe *Contrôles* de l'onglet **Création**.

Reproduire rapidement une mise en forme

Après avoir passé un long moment à créer une mise en forme sur un contrôle, vous souhaitez effectuer la même opération sur un autre contrôle du formulaire actif. Au lieu d'appliquer de nouveau successivement toute la série de formats, vous allez utiliser l'outil **Reproduire la mise en forme**. Procédez ainsi :

1. Sélectionnez le contrôle correctement mis en forme.

2. Déroulez le groupe *Police* et cliquez sur le contrôle **Reproduire la mise en forme**.

3. Cliquez sur le contrôle devant recevoir la mise en forme.

Comprendre et utiliser les propriétés les plus courantes

À chaque contrôle est associée une liste de propriétés. La majorité de ces propriétés est commune aux différents contrôles.

Pour afficher les propriétés liées à un contrôle, vous avez trois possibilités :

- Double-cliquez sur le contrôle.
- Dans l'onglet **Création**, cliquez sur le contrôle **Feuille des propriétés** du groupe *Créer*.
- Cliquez du bouton droit sur le contrôle puis activez la commande **Propriétés**.

La fenêtre des propriétés (ou feuille des propriétés) du contrôle activé s'affiche et se fixe à droite du formulaire. N'hésitez pas, si nécessaire, à agrandir cette fenêtre et éventuellement à la déplacer sur le formulaire en cliquant dans sa barre de titre et en la faisant glisser à l'endroit souhaité.

Terminons cette section en vous proposant un tableau récapitulatif des propriétés les plus couramment utilisées. Pour accéder à toutes les propriétés d'un contrôle, cliquez sur l'onglet **Toutes** dans la fenêtre des propriétés du contrôle sélectionné.

Utiliser les propriétés attribuées aux contrôles zones de texte

Tab. 3.8 : Description de quelques propriétés des contrôles zones de texte

Propriété	Signification
Nom	Nom attribué au contrôle. Ne pas confondre avec la légende de l'étiquette.
Source contrôle	Champ dont le contrôle est issu.
Format	Définit la façon dont les données saisies doivent être affichées.
Masque de saisie	C'est une aide à la saisie. Il force l'utilisateur à saisir les données selon un format déterminé.
Texte de la barre état	Ce texte correspond à la description du champ de saisie en création de table. Ce texte apparaît dans la barre d'état de la fenêtre Access (tout en bas de l'écran).
Visible	Souhaitez-vous visualiser le contrôle en mode Formulaire ? Deux valeurs possibles, oui ou non.
Activé	En mode Formulaire, le contrôle est visible mais pas accessible.

Tab. 3.8 : Description de quelques propriétés des contrôles zones de texte	
Propriété	Signification
Verrouillé	En mode Formulaire, aucune saisie ne peut être effectuée dans le champ. Si le contrôle est à la fois activé et verrouillé (propriété à Oui), le champ ne peut être ni modifié ni accessible.
Arrêt tabulation	Si vous souhaitez ne pas remplir un champ de façon systématique, passez ce champ en affectant la propriété à Non.
Gauche	Positionnement du contrôle par rapport au bord gauche du formulaire.
Haut	Positionnement du contrôle par rapport au bord supérieur du formulaire.
Largeur	Taille en largeur du contrôle.
Hauteur	Taille en hauteur du contrôle.
Couleur fond	Couleur de remplissage du contrôle. En cliquant sur les trois points à droite, vous avez accès à toutes les couleurs autorisées par votre système.
Avant et Après Maj	Événement à effectuer après la mise à jour du contenu du contrôle.
Sur clic, double-clic	Événement à effectuer sur clic ou double-clic du contrôle.

Certaines propriétés correspondent aux propriétés déjà définies dans les propriétés de champs des tables. Rappelons que, dans un formulaire, les champs héritent des propriétés définies dans les tables. En revanche, l'inverse n'est pas vrai. Si vous modifiez certaines propriétés de contrôles dans un formulaire, celles-ci ne se répercuteront pas dans la table associée.

La liste des propriétés étant importante, les onglets de la fenêtre des propriétés proposent leur affichage par catégories.

Utiliser les propriétés attribuées aux contrôles zones de liste déroulante

Le contrôle liste déroulante possède également d'autres propriétés que celles citées précédemment.

Tab. 3.9 : Description de quelques propriétés des contrôles zones de liste déroulante

Propriété	Signification
Origine source	Quelle est la source des données ? Une table, une requête ou une liste de valeurs.
Contenu	Nom de la table, de la requête ou code SQL servant de source à la liste.
Nbre colonnes	Nombre de colonnes contenues dans la liste.
En-têtes colonnes	Les noms des champs doivent-ils apparaître en haut de la liste ? En général, la valeur Non est attribuée à cette propriété.
Largeurs colonnes	Largeur de chaque colonne de la liste. Les dimensions sont exprimées en centimètres et séparées par des ";" (exemple : 2cm;1,5cm pour une liste contenant deux colonnes).
Colonne liée	Numéro de la colonne liée au contrôle. Quand une liste contient plusieurs colonnes, seule la valeur d'une colonne est stockée dans le champ.
Lignes affichées	Nombre de lignes visualisées simultanément dans la liste lorsqu'elle est déroulée. Si la liste contient plus de lignes que le nombre indiqué, une barre de défilement vertical permet de visualiser les autres lignes.
Largeur liste	En principe, c'est l'addition des largeurs de chaque colonne. Pour l'exemple précédent, on indiquerait 3,5 cm.

remarque

Code SQL

Lorsque vous utilisez l'assistant pour créer une liste déroulante basée sur les valeurs issues d'une table ou d'une requête, cet assistant génère du code SQL dans la propriété *Contenu* de la liste.

Utiliser les propriétés attribuées au formulaire

Pour afficher la fenêtre des propriétés d'un formulaire, double-cliquez sur le sélecteur de formulaire.

Tab. 3.10 : Description de quelques propriétés associées au formulaire	
Propriété	Signification
Source	Table ou requête sur laquelle est basé le formulaire.
Légende	Libellé apparaissant dans la barre de titre du formulaire en mode Formulaire.
Affichage par défaut	Détermine comment afficher les enregistrements à l'ouverture du formulaire. Les trois modes les plus utilisés sont : ■ Formulaire unique : un seul enregistrement est affiché à l'écran. ■ Formulaires continus : plusieurs enregistrements sont visibles simultanément à l'écran ; le nombre d'enregistrements affichés étant limité par la taille de l'écran. ■ Feuille de données : plusieurs enregistrements sont affichés sous forme de tableaux Excel. Cet affichage convient pour la visualisation de listes de données.
Barre défilement	Possibilité d'afficher les deux barres, la verticale ou horizontale, ou aucune des barres de défilement. Faites votre choix dans la liste déroulante proposée dans cette propriété.
Afficher sélecteur	Permet d'afficher ou de masquer le sélecteur d'enregistrement en mode Formulaire.
Boutons de déplacement	En mode Formulaire, permet d'afficher ou de masquer la barre de déplacement entre enregistrements en bas du formulaire.
Boîte contrôle	Affiche ou masque les trois cases (*Réduire*, *Agrandir*, *Fermer*) en haut à droite de la fenêtre du formulaire.
Boutons MinMax	Affiche ou masque les cases *Réduire*, *Agrandir* ou les deux cases de la fenêtre du formulaire.
Bouton Fermer	Affiche ou masque la case *Fermer* de la fenêtre du formulaire.

Pour afficher la fenêtre des propriétés d'une section, double-cliquez :

■ Dans la section souhaitée (veillez à ne pas double-cliquer sur un contrôle de cette section).

■ Ou sur la barre de titre de la section.

En utilisant l'Assistant Formulaire, créez les formulaires :

■ *F_Amis*, *F_TypesMedias*, *F_Supports*, *F_Editeurs* et *F_Genres* pour lesquels vous insérerez tous les champs des tables sources correspondantes.

■ *F_Auteurs* pour lequel vous insérerez tous les champs de la table *T_Auteurs*, sauf le champ *DateDecesAuteur*.

Au cours de la création et en fin de création, vous appliquerez les consignes suivantes :

■ Pour les formulaires *F_Amis*, *F_Auteurs* et *F_Supports*, choisissez la disposition colonne simple. Pour les autres formulaires, choisissez la disposition tabulaire.

■ Dans le formulaire *F_Genres*, attribuez *Non* à la propriété *Visible* de la zone de texte *NumGenre*. En effet, le type de données du *NumGenre* étant un *NuméroAuto*, il n'est pas nécessaire que l'utilisateur le visualise.

■ Modifiez les présentations des formulaires selon votre goût.

Utiliser la propriété Dépendances d'objet

Cette propriété permet de savoir de quel objet dépend ou quel objet utilise tel ou tel élément d'une base de données. Cette propriété s'avère très utile pour les formulaires, les états et les requêtes. Son principal avantage est d'éviter des suppressions d'objets inopinées.

Prenons un exemple. Vous souhaitez savoir de quels objets dépend le formulaire *F_Medias*. Pour cela :

1. Sélectionnez l'objet dont vous souhaitez visualiser les dépendances. Choisissez le formulaire *F_Medias*.

2. Sélectionnez l'onglet **Outils de base de données**.

3. Dans le groupe *Afficher/Masquer*, cochez la case *Dépendances d'objet*.

La fenêtre **Dépendances d'objet** s'affiche dans la partie droite de l'écran.

4. Vous pouvez visualiser :

– Les objets qui dépendent de l'objet sélectionné.

– Ou les objets dont dépend l'objet sélectionné.

Pour notre exemple, cochez l'option *Objets dont je dépends*.

◀ Figure 3.18 :
*Dépendances de
l'objet F_Medias*

Vous repérez ainsi les tables sources dont dépend le formulaire *F_Medias* et, en cascade, les tables dépendant des tables sources.

3.3 Ajouter des contrôles spéciaux

Dans cette section, nous allons décrire brièvement les contrôles les plus couramment utilisés.

Toutes les manipulations qui suivront devront être effectuées sur un formulaire ouvert en mode Création.

Vous utiliserez un assistant pour créer la plupart des contrôles décrits ci-après. Il est donc indispensable de laisser le bouton **Utiliser les**

Assistants contrôle activé. Si cet outil n'est pas activé, aucun assistant ne sera déclenché afin de vous guider dans la création du contrôle.

Insérer une étiquette

Une étiquette représente un texte fixe qui ne changera pas d'un enregistrement à l'autre. C'est un contrôle indépendant puisqu'il n'est lié à aucun champ de la table ou de la requête source. Tous les contrôles liés aux contrôles zones de texte et situés à gauche du champ sont des contrôles étiquettes.

Dans le formulaire *F_Medias*, vous allez ajouter l'étiquette *Saisie et consultation des médias* dans la section *En-tête de formulaire*. Agrandissez, si nécessaire, la section *En-tête de formulaire*. Procédez ainsi :

1. Cliquez sur le contrôle étiquette.

2. Dans le formulaire, cliquez à l'endroit où vous souhaitez ajouter l'étiquette.

3. Saisissez le texte : `Saisie et consultation des médias`.

4. Validez votre saisie en appuyant sur la touche [Entrée].

5. Modifiez la mise en forme si celle-ci ne vous convient pas (augmentez la taille de la police, modifiez la couleur de remplissage et/ou de texte, centrez le texte dans la largeur du contrôle, etc.).

Par ailleurs, le texte de tous les contrôles étiquettes associés aux zones de texte est modifiable. Il est d'ailleurs fortement recommandé d'améliorer ce texte afin de rendre le formulaire plus compréhensible pour l'utilisateur. Pour modifier le texte d'une étiquette, cliquez une première fois sur le contrôle pour le sélectionner puis cliquez une deuxième fois pour positionner le curseur à l'intérieur du contrôle. Saisissez ensuite le texte désiré.

Retour à la ligne dans une étiquette

Appuyez simultanément sur les touches [Ctrl]+[Entrée]. Cela provoque un saut de paragraphe dans le contrôle.

Insérer une zone de texte

C'est un des contrôles les plus utilisés parmi les contrôles disponibles. C'est un contrôle dépendant lorsque sa source est un champ de table. Il peut être également un contrôle calculé. Quand vous insérez une zone de texte, Access ajoute en fait deux contrôles : la zone de texte représentant le champ et son contrôle étiquette associé.

Dans le formulaire *F_Auteurs*, vous ajouterez le contrôle *DateDecesAuteur* à droite du contrôle *DateNaissanceAuteur*. N'oubliez pas d'agrandir la section *Détail* si nécessaire.

Pour ajouter un contrôle zone de texte dépendant, suivez ces étapes :

1. [ab] Cliquez sur le contrôle zone de texte.

2. Placez le contrôle à l'endroit souhaité. Attention à ne pas le positionner trop à gauche de l'écran car, au moment où vous lâchez la souris, Access insère à gauche du contrôle zone de texte un deuxième contrôle étiquette.

3. Double-cliquez sur cette zone de texte, dont le contenu indique "indépendant", afin d'ouvrir sa fenêtre de propriétés.

4. Dans la propriété *Source contrôle*, choisissez le champ *DateDecesAuteur* dans la liste. Vous avez ainsi transformé un contrôle indépendant en un contrôle dépendant (voir Figure 3.19).

5. Modifiez également le contenu de l'étiquette. Saisissez Date décès.

Modification interdite du contenu d'une zone de texte

Ne modifiez jamais le contenu d'une zone de texte comme vous pouvez le faire dans une étiquette. En effet, une zone de texte est liée à un champ dont la source se situe dans une table. Si vous changez le texte de la zone de texte, vous modifiez la source et Access ne peut plus faire référence au champ d'origine.

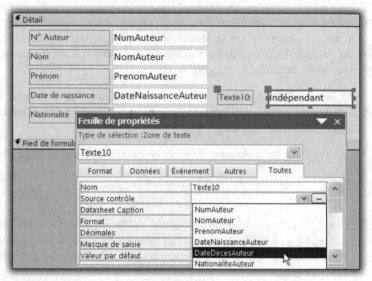

▲ Figure 3.19 : *Choix du champ à affecter à la source du contrôle*

Insérer une image

Dans le formulaire *F_Auteurs*, vous insérerez l'image de votre choix représentant un écrivain dans la section *Détail*. Avant de réaliser cette procédure, vous devez avoir repéré sur votre disque dur dans quel dossier se trouve l'image à insérer. Procédez ainsi :

1. Cliquez sur le contrôle image.

2. Dans la section *Détail*, cliquez et faites glisser le curseur de façon à tracer un cadre.

3. Dans la boîte de dialogue **Insérer une image**, déplacez-vous dans le dossier où l'image est stockée, puis sélectionnez l'image désirée.

4. Redimensionnez l'image à la taille souhaitée (diminuez-la légèrement).

▲ Figure 3.20 : *Ajout d'une image dans le formulaire F_Auteurs*

Insérer un trait ou un rectangle

Ces deux outils permettent d'enjoliver la présentation du formulaire. Procédez ainsi :

1. Sélectionnez le contrôle trait (ou rectangle).

2. Dans le formulaire, faites un cliquer-glisser du point de départ du trait (ou du rectangle) vers le point d'arrivée.

3. Modifiez éventuellement la couleur et l'épaisseur du trait (ou du rectangle).

Si vous avez tracé un rectangle, vous pouvez également modifier sa couleur de remplissage. Si le rectangle masque le texte qu'il encadre :

1. Sélectionnez le rectangle.

2. Dans l'onglet **Réorganiser**, cliquez sur le contrôle **Mettre à l'arrière-plan** du groupe *Position*.

astuce

Réaliser un trait droit horizontal ou vertical (un carré)

Tout en réalisant le tracé du trait (le tracé du rectangle), maintenez la touche [Maj] du clavier enfoncée.

Améliorez la présentation du formulaire *F_Medias* selon le modèle décrit ci-après et votre imagination (modifiez les étiquettes, les alignements, ajoutez des cadres, etc.).

▲ Figure 3.21 : *Amélioration du formulaire F_Medias*

Insérer une case à cocher, une case d'option ou un bouton bascule

Une case à cocher, une case d'option ou un bouton bascule sont des contrôles permettant de représenter un champ dont le type de données est *Oui/Non*.

Visualisez, dans le tableau ci-après, l'apparence de ces contrôles en fonction de leur valeur.

Tab. 3.11 : Apparence des trois contrôles activés ou désactivés

Contrôle	Activé (Valeur = Oui)	Désactivé (Valeur = Non)
Case à cocher	☑ Cadeau	☐ Cadeau
Case d'option	◉ Cadeau	○ Cadeau
Bouton bascule	Cadeau	Cadeau

À titre d'exemple, vous allez créer une case à cocher sur le champ *Cadeau* du formulaire *F_Medias*. Cette case a déjà été automatiquement générée à la création du formulaire *F_Medias*. Par conséquent, commencez par supprimer ce contrôle. Ouvrez le formulaire *F_Medias*, sélectionnez la case à cocher *Cadeau* et supprimez-la en appuyant sur la touche (Suppr) du clavier.

Avant de commencer la réalisation d'un tel contrôle, assurez-vous que la fenêtre **Liste de champs** est visible à l'écran. Pour insérer la case à cocher, procédez ainsi :

1. Sélectionnez le contrôle case à cocher.

2. Dans la fenêtre **Liste de champs**, repérez le champ *Cadeau* puis faites-le glisser vers l'emplacement souhaité.

Pour la création de la case d'option et du bouton bascule, réitérez les deux étapes précédentes en choisissant l'outil correspondant. Pour le bouton bascule, il convient d'ajouter un texte sur le contrôle à la fin de la création.

Insérer une liste déroulante et une zone de liste

Une liste déroulante ou plus exactement une zone de liste déroulante ainsi qu'une zone de liste peuvent servir soit à alimenter un champ, soit à effectuer une recherche dans un formulaire. En effet, il est plus aisé de sélectionner une valeur dans une liste que de la saisir.

Une zone de liste déroulante est composée d'une zone de texte et d'une liste qu'il faut activer afin de visualiser son contenu. En revanche, une zone de liste est composée d'une liste qui est affichée en permanence. Si la liste n'est pas suffisamment grande pour visualiser l'ensemble de ses occurrences, une barre de défilement vertical permet de parcourir les éléments cachés.

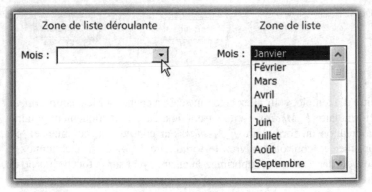

▲ Figure 3.22 : *Différence entre zone de liste déroulante et zone de liste*

Dans la suite, nous vous expliquerons comment créer une zone de liste déroulante. Sachez que la réalisation d'une zone de liste s'effectuera de la même manière qu'une zone de liste déroulante. Seul le résultat visuel diffère.

Le principe de création d'une zone de liste déroulante est très proche du principe mis en œuvre avec l'Assistant Liste de choix dans les tables.

Créer une zone de liste déroulante dont les valeurs sont issues d'une table ou d'une requête

Dans le formulaire *F_Medias*, des listes déroulantes se sont automatiquement insérées lors de la création du formulaire. Ceci est dû au fait que les champs représentés par ces listes déroulantes ont déjà été programmés par l'Assistant Liste de choix dans la table *T_Medias*. Comme nous l'avons indiqué plus haut, le formulaire hérite des propriétés définies dans les tables.

Pour maîtriser la réalisation du contrôle zone de liste déroulante, vous allez créer de nouveau une liste déroulante sur le champ *CodeAuteur*.

Avant de vous lancer dans cette opération, ouvrez le formulaire *F_Medias* et supprimez le contrôle *CodeAuteur*.

1. Sélectionnez le contrôle zone de liste déroulante, puis cliquez à l'endroit où vous souhaitez qu'il apparaisse. Quand vous cliquez dans le formulaire à un endroit précis, n'oubliez pas qu'une étiquette s'insère à gauche du contrôle.

L'Assistant Zone de liste déroulante est déclenché.

2. Les valeurs contenues dans la liste étant issues d'une table, conservez la première option cochée. Puis cliquez sur le bouton **Suivant**.

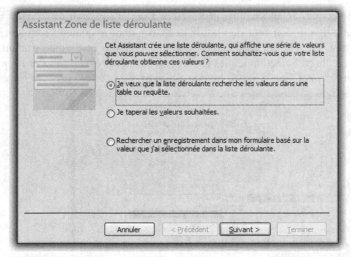

▲ Figure 3.23 : *Choix de la source des données de la liste*

3. Sélectionnez la table ou la requête dont les valeurs de la liste sont issues. Choisissez la table *T_Auteurs*. Cliquez sur le bouton **Suivant**.

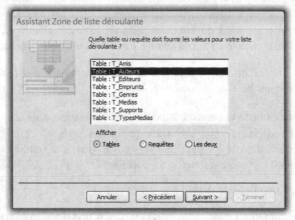

▲ Figure 3.24 : *Choix de la table ou de la requête source*

4. Sélectionnez les champs nécessaires à la construction de la liste. En principe, il convient de choisir le champ dont le contenu sera stocké (très souvent le code) ainsi que les champs que vous souhaitez visualiser. Sélectionnez les champs *NumAuteur*, *NomAuteur* et *PrenomAuteur*. Cliquez sur le bouton **Suivant**.

▲ Figure 3.25 : *Choix des champs de la liste*

5. Choisissez d'appliquer un ordre de tri ou non. Pour votre exemple, il est plus judicieux d'afficher les auteurs par ordre alphabétique. Sélectionnez donc le champ *NomAuteur* comme première clé de tri et le champ *PrenomAuteur* comme deuxième clé de tri. Cliquez sur le bouton **Suivant**.

◄ Figure 3.26 :
Appliquer un ordre de tri à la liste

6. Access ayant constaté que le champ *NumAuteur* est la clé primaire de la table *T_Auteurs*, il en déduit que c'est un champ choisi comme identificateur et qu'il n'est pas nécessaire de l'afficher. Ce champ servira uniquement à affecter la valeur du *NumAuteur* choisie au champ *CodeAuteur*. En revanche, si vous le souhaitez, vous pouvez faire apparaître cette colonne en décochant l'option *Colonne clé cachée*. Conservez cette case cochée et redimensionnez éventuellement les largeurs de colonnes.

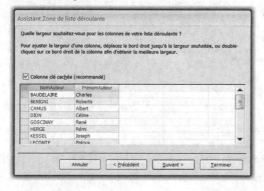

◄ Figure 3.27 :
Redimensionnement des largeurs de colonnes

7. Indiquez ensuite à Access dans quel champ il devra stocker la valeur sélectionnée par l'utilisateur dans la liste. Sélectionnez le champ *CodeAuteur*. Cliquez sur le bouton **Suivant**.

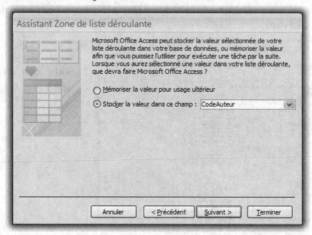

▲ Figure 3.28 : *Choix du champ dans lequel enregistrer la valeur choisie*

8. Indiquez le libellé à attribuer à l'étiquette de la liste. Saisissez Auteur : puis cliquez sur le bouton **Terminer**.

▲ Figure 3.29 : *Étape finale de l'Assistant Zone de liste déroulante*

Créer une zone de liste déroulante permettant de réaliser une recherche dans le formulaire actif

Dans le formulaire *F_Medias*, vous allez créer une liste déroulante basée sur aucun champ et qui aura pour objectif de rechercher des enregistrements correspondant au titre du média. Au préalable, augmentez la taille de la section *En-tête de formulaire*. Pour réaliser cette liste de recherche, procédez ainsi :

1. Sélectionnez le contrôle zone de liste déroulante, puis cliquez à l'endroit où vous souhaitez qu'il apparaisse. Positionnez ce contrôle dans l'en-tête de formulaire.

   L'Assistant Zone de liste déroulante est déclenché.

2. Sélectionnez la troisième option *Rechercher un enregistrement dans mon formulaire*. Cliquez sur le bouton **Suivant**.

3. Sélectionnez le champ sur lequel vous désirez effectuer la recherche. Choisissez le champ *TitreMedia*. Cliquez sur le bouton **Suivant**.

4. Agrandissez éventuellement la largeur de la liste afin de visualiser correctement toutes les valeurs. Vous constatez également qu'il existe une colonne clé cachée alors que vous n'avez sélectionné qu'un seul champ à l'étape précédente. En fait, Access réalise la recherche non pas sur le titre du média, car plusieurs médias peuvent avoir le même titre, mais sur la clé primaire de l'enregistrement. Décochez la case *Colonne clé cachée* pour vous rendre compte que cette colonne correspond à la clé primaire de la table *T_Medias*. Cochez de nouveau cette case, puis cliquez sur le bouton **Suivant**.

5. Indiquez le libellé à attribuer à l'étiquette de la liste. Saisissez `Recherche titre du média :` et cliquez sur le bouton **Terminer**.

6. Modifiez éventuellement la présentation du contrôle, enregistrez le formulaire *F_Medias* et passez en mode Formulaire pour tester cette liste.

Ainsi, pour accéder très rapidement à une fiche, sélectionnez le titre du média dans la liste. La fiche correspondante apparaît immédiatement.

Insérer un bouton de commande

Un bouton de commande permet d'effectuer rapidement une action répétitive. De nombreuses commandes disponibles dans les menus d'Access sont réalisables par l'intermédiaire des boutons de commande.

Dans le formulaire *F_Medias*, vous ajouterez un bouton de commande permettant la fermeture du formulaire. Pour cela :

1.   Sélectionnez le contrôle bouton de commande, puis cliquez à l'endroit où vous souhaitez placer ce bouton. Positionnez-le dans l'en-tête du formulaire *F_Medias*.

Immédiatement, l'Assistant Bouton de commande est déclenché.

Cet assistant présente deux rubriques : *Actions* (à droite) affiche les principales fonctions d'Access organisées par thèmes en correspondance avec la rubrique *Catégories* (à gauche).

2. Dans la rubrique *Catégories*, sélectionnez **Opérations sur formulaire** et dans la rubrique *Actions*, sélectionnez **Fermer un formulaire**. Cliquez sur le bouton **Suivant**.

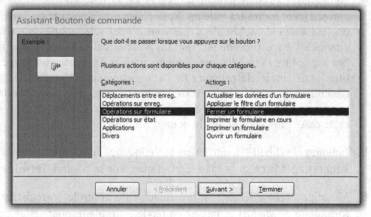

▲ Figure 3.30 : *Choix de l'action à réaliser*

3. Par défaut, Access propose de repérer le bouton de commande à l'aide d'une image. Cependant, vous pouvez saisir un texte ou sélectionner une autre image en cochant la case *Afficher toutes les images*. Conservez l'image *Sortir par la portière* proposée par Access, puis cliquez sur le bouton **Suivant**.

4. Finalisez la construction de ce bouton en lui affectant un nom concis. Évitez de conserver le nom proposé par Access car *Commande0*, *Commande1*… n'est pas très significatif. Par conséquent, nommez ce bouton *Fermer*. Puis cliquez sur le bouton **Terminer**.

5. Enregistrez le formulaire, puis basculez en mode Formulaire et testez le bouton. Le formulaire *F_Medias* se ferme automatiquement.

Sachez qu'Access génère une macro à l'issue de cette étape, nommée macro incorporée, que vous serez amené à consulter un peu plus tard.

En fonction de l'action choisie à la première étape, l'assistant présente des boîtes de dialogue différentes, parfois des boîtes supplémentaires. Il s'agit de se laisser guider par le bon sens.

Afin de vous entraîner à la création de boutons de commande, n'hésitez pas à réitérer cette procédure dans les autres formulaires.

Insérer un sous-formulaire

Un contrôle sous-formulaire est un formulaire imbriqué dans un formulaire principal. Dans un formulaire principal, il est possible d'imbriquer plusieurs sous-formulaires. Le rôle d'un sous-formulaire est de mettre en relation des enregistrements avec un enregistrement du formulaire principal. Il est nécessaire qu'une relation ait été réalisée au préalable entre la table source du formulaire principal et la table source du sous-formulaire. Le lien entre formulaire et sous-formulaire s'établit sur le champ de liaison entre les deux tables.

Vous avez déjà pu observer l'intégration d'un sous-formulaire dans un formulaire lorsque vous avez créé rapidement votre premier formulaire en page 162.

Nous allons voir ci-après deux méthodes supplémentaires de création de sous-formulaire.

Créer un formulaire et un sous-formulaire avec l'Assistant Formulaire

Cette méthode permet de choisir les champs à intégrer au formulaire et au sous-formulaire. C'est une méthode intéressante lorsque vos données proviennent de plusieurs tables.

Vous allez créer un formulaire présentant les genres des différents médias et intégrant un sous-formulaire dans lequel seront affichés deux champs : le titre des médias et l'auteur. Procédez ainsi :

1. Sélectionnez l'onglet **Créer**.

2. Dans le groupe *Formulaires*, déroulez le contrôle **Plus de formulaires**, puis activez la commande **Assistant Formulaire**.

   La boîte de dialogue **Assistant formulaire** s'ouvre.

3. Dans cette première étape :

   – Dans la rubrique *Tables/Requêtes*, sélectionnez la table source du formulaire principal, puis dans la rubrique *Champs disponibles*, sélectionnez tour à tour les champs à visualiser dans le formulaire. Choisissez tous les champs de la table *T_Genres*.

   – Sélectionnez une deuxième table dans la rubrique *Tables/Requêtes* (*T_Medias* pour l'exercice), puis sélectionnez les champs désirés. Choisissez les champs *TitreMedia* et *CodeAuteur*.

   – Si vous voulez ajouter des champs provenant d'une autre table, sélectionnez-en une autre, toujours dans la rubrique *Tables/Requêtes*, et choisissez les champs souhaités.

4. Une fois tous les champs sélectionnés, cliquez sur le bouton **Suivant**.

5. Les relations entre les tables étant correctement mises en place, Access propose la création d'un formulaire et d'un sous-formulaire. Deux possibilités d'affichage du sous-formulaire sont disponibles :

- 1re option : afficher le sous-formulaire et visualiser les informations qu'il contient directement dans le formulaire principal. C'est l'option *Formulaire avec sous-formulaire* cochée par défaut.

- 2e option : créer un bouton de commande dans le formulaire principal qui appelle le sous-formulaire pour visualiser ses informations. C'est l'option *Formulaires attachés*.

Conservez la première option et cliquez sur le bouton **Suivant**. Cette option permet de visualiser toutes les informations liées au sein d'un même formulaire. En revanche, la deuxième option permet d'afficher les données liées au formulaire principal uniquement au moment souhaité. Cela ne surcharge pas l'écran du formulaire principal.

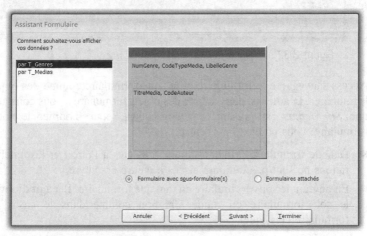

▲ Figure 3.31 : *Choix de l'affichage du sous-formulaire*

6. Sélectionnez le mode de présentation désiré (ici, cochez l'option *Tabulaire*). Cliquez sur le bouton **Suivant**.

7. Sélectionnez la présentation souhaitée. Cliquez sur le bouton **Suivant**.

8. Enfin, à la dernière étape, donnez un nom au formulaire et au sous-formulaire. Nommez le formulaire *F_GenresEtMedias* et le sous-formulaire *SF_Medias* (SF pour sous-formulaire). Laissez l'option *Ouvrir le formulaire pour afficher ou entrer des infos* cochée. Cliquez sur le bouton **Terminer**.

▲ Figure 3.32 : *Désignation des deux formulaires*

Access sauvegarde le formulaire et le sous-formulaire comme des objets formulaires. D'ailleurs, dans la liste des objets formulaires, vous constatez que *SF_Medias* est présent. Par conséquent, pour modifier le sous-formulaire, vous pouvez intervenir :

- Dans le formulaire principal, mais vous êtes à l'étroit et les améliorations ne sont pas toujours aisées à mettre en œuvre.

- En ouvrant le sous-formulaire en tant que formulaire. Il s'agit d'ouvrir le sous-formulaire en mode Création comme dans le cas d'un formulaire classique.

Insérer un contrôle sous-formulaire dans un formulaire

Cette deuxième méthode permet d'intégrer un sous-formulaire dans un formulaire déjà existant.

Vous allez insérer un sous-formulaire de suivi des emprunts dans le formulaire *F_Amis*. Procédez ainsi :

1. Créez un formulaire avec l'assistant dont la source est *T_Emprunts*. Sélectionnez les champs *CodeMedia*, *DateEmprunt* et *DateRetour*. Cliquez sur le bouton **Suivant**.

2. Dans la boîte de dialogue affichée, choisissez la disposition tabulaire. Puis cliquez sur le bouton **Suivant**.

3. Choisissez la présentation qui vous convient, puis cliquez sur le bouton **Suivant**.

4. Nommez le formulaire créé *SF_Emprunts* puisqu'il jouera le rôle d'un sous-formulaire. Puis cliquez sur le bouton **Terminer**.

5. Fermez le formulaire affiché *SF_Emprunts*.

6. Ouvrez le formulaire principal devant recevoir le contrôle sous-formulaire en mode Création. Pour l'exercice, ouvrez le formulaire *F_Amis*. Éventuellement, redisposez les champs différemment de façon à créer un emplacement assez grand pour recevoir le sous-formulaire.

7. Assurez-vous que le contrôle **Utiliser les Assistants contrôle** est actif. Cliquez sur l'outil **Sous-formulaire/Sous-état** et tracez un cadre rectangulaire sous les champs présents.

L'Assistant Sous-formulaire se déclenche.

8. Cochez l'option *Utiliser un formulaire existant* et sélectionnez le formulaire *SF_Emprunts*. Cliquez sur le bouton **Suivant**.

◄ Figure 3.33 :
*Choix du
sous-formulaire*

9. Dans cette étape, vous devez définir quel champ fait le lien entre le formulaire principal (soit *F_Amis*) et le sous-formulaire (soit *SF_Emprunts*). Cochez l'option *Les définir moi-même*. Dans la rubrique *Champs du formulaire/de l'état*, sélectionnez le champ *NumAmi*, et dans la rubrique *Champs du sous-formulaire/de l'état*, sélectionnez le champ *CodeAmi*. Cliquez sur le bouton **Suivant**.

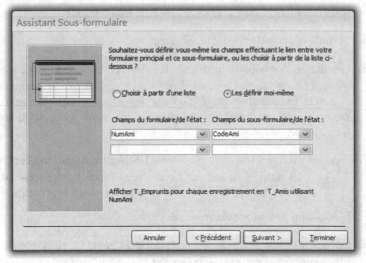

▲ Figure 3.34 : *Définition du champ de liaison entre le formulaire et le sous-formulaire*

10. À la dernière étape, donnez un nom au sous-formulaire. C'est le nom que vous attribuez au contrôle sous-formulaire et non le nom du sous-formulaire en tant que formulaire, comme le laisse sous-entendre l'assistant. D'ailleurs, le sous-formulaire a déjà été enregistré précédemment. Conservez le nom proposé, soit *SF_Emprunts*, pour des raisons de commodité. En effet, par la suite, lorsque vous insérerez des contrôles calculés, vous devrez faire référence au nom attribué au sous-formulaire à l'intérieur du formulaire. Cliquez sur le bouton **Terminer**.

Comme d'habitude, il reste un peu de travail de présentation à réaliser.

Propriétés affectées au champ de liaison

Dans les propriétés associées au contrôle sous-formulaire, la propriété permettant de faire le lien entre le formulaire et le sous-formulaire est appelée champ père (exemple : *NumAmi*) en référence au champ du formulaire principal, et champ fils (exemple : *CodeAmi*) en référence au champ du sous-formulaire.

4

Créer
et gérer
des requêtes

Afin de réaliser les exemples de cet apprentissage, les bases de données *C04-Médiathèque01.accdb* et *C04-Médiathèque02.accdb* seront nécessaires. Aussi, nous vous conseillons de télécharger ces bases de données sur notre site, à l'adresse `www.microapp.com`.

4.1 Découvrir les requêtes sélection

Intérêt des requêtes

Une requête est une question que vous posez à votre base de données au sujet du contenu des tables. Access utilise la méthode d'interrogation par l'exemple, encore nommée QBE (*Query By Example*) en anglais.

L'intérêt d'une requête est qu'elle est le plus souvent conservée dans la base de données. Par conséquent, cela vous permet d'exécuter cette dernière aussi souvent que vous le souhaitez, au fur et à mesure de l'ajout, de la suppression ou de la modification des données.

Dans une requête, vous pouvez :

- Choisir les tables à interroger.
- Choisir les champs voulus dans le résultat.
- Poser des critères sur tous les champs de la requête.
- Effectuer des calculs.

Concrètement, une requête permet de sélectionner dans une table les enregistrements correspondant à certains critères. Le résultat est ensuite affiché sous la forme d'une feuille de calcul Excel. Une requête ressemble à un filtre, mais elle est plus performante et plus simple à mettre en œuvre. Quand vous sauvegardez une requête, seule la structure de la requête est enregistrée. À partir du résultat obtenu, vous pouvez modifier les données. Les modifications réalisées sont alors directement répercutées dans les tables associées à la requête.

Enfin, comme pour les formulaires et les états, si nous supprimons une requête, cela ne détruit pas les données stockées dans les tables. N'oubliez pas, toutefois, que si vous modifiez des informations par le biais de requêtes et que vous détruisez la requête ayant permis cette modification, les données conserveront les changements effectués.

Découvrir les différents types de requêtes

Les différents types de requêtes sont identifiables par des icônes placées à gauche de leur nom dans le volet de navigation du groupe *Requêtes*. Vous retrouvez également ces icônes en tant que contrôles dans l'onglet contextuel **Créer** sous l'onglet **Outils de requête**.

Tab. 4.1 : Icônes caractérisant les différentes requêtes	
Icône	Signification
	Requête sélection.
	Requête *Analyse croisée*. Cette requête permet de regrouper les données par catégories.
	Requête action *Création de table*. Cette requête permet de créer une nouvelle table.
	Requête action *Mise à jour*. Cette requête permet de modifier plusieurs enregistrements en une seule manipulation.
	Requête action *Ajout*. Cette requête permet d'ajouter plusieurs enregistrements d'une table dans une autre.
	Requête action *Suppression*. Cette requête permet de supprimer plusieurs enregistrements en une seule manipulation.

Découvrir la fenêtre d'une requête en mode Création

Avant d'aborder la création de votre première requête, décrivons les différents éléments qui composent la fenêtre d'une requête en mode Création.

L'écran de définition de la structure d'une requête est décomposé en deux parties :

■ La partie supérieure affiche la ou les tables interrogées. Dans cette section, vous ne devez visualiser que les tables nécessaires à votre interrogation ainsi que les liens qui les unissent. Toutes les tables affichées doivent posséder des liens entre elles.

■ La partie inférieure présente les champs dont vous souhaitez visualiser les données et des propriétés diverses.

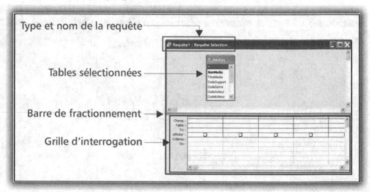

▲ Figure 4.1 : *Description de la fenêtre Requête en mode Création*

Tab. 4.2 : Description des composants de la grille d'interrogation	
Élément	Description
Champ	Nom des champs interrogés. Une colonne ne contient qu'un seul champ. Le résultat de la requête fait apparaître les champs dans le même ordre que dans la grille d'interrogation.
Table	Nom des tables d'où sont extraits les champs. Cette ligne peut être masquée. Elle devient d'ailleurs inutile lorsque vous interrogez une seule table.
Tri	Permet d'affecter un ordre de tri croissant ou décroissant aux champs souhaités. Lorsqu'un tri est défini sur plusieurs champs, il s'effectue à partir du champ le plus à gauche dans la grille. Il faut donc placer les champs dans un ordre précis.
Afficher	Décochez cette case lorsque vous ne souhaitez pas visualiser un champ dans le résultat de la requête. Par défaut, cette case est cochée quand vous ajoutez un champ dans la grille. Cette option est utile lorsque vous devez poser un critère sur un champ sans visualiser son contenu à l'exécution de la requête.

Tab. 4.2 : Description des composants de la grille d'interrogation	
Élément	Description
Critères	Permet de poser des conditions sur les informations à extraire dans le champ en cours.
Ou	Permet de combiner plusieurs critères en même temps. C'est pourquoi plusieurs lignes *Ou* sont disponibles.

Créer une requête monotable

Une requête monotable est une requête basée sur une seule table ou, plus rarement, sur une requête déjà existante.

Vous créerez une requête permettant d'extraire une liste des médias contenant les informations suivantes : le numéro du média, son titre, sa date et son prix d'achat. Pour cela :

1. Ouvrez la base de données *C04-Médiathèque01.accdb*.

2. Dans l'onglet **Créer**, cliquez sur le contrôle **Création de requête** du groupe *Autre*.

3. Dans la fenêtre **Afficher la table**, sélectionnez la table *T_Medias* à interroger. Cliquez sur le bouton **Ajouter**.

◄ Figure 4.2 :
Sélection de la table source de la requête

> **Ajout rapide d'une table dans une requête**
>
> Dans la fenêtre **Afficher la table**, double-cliquez sur la table à ajouter.

4. Cliquez sur le bouton **Fermer**.

La fenêtre de la requête en mode Création apparaît.

5. Pour insérer les champs dans la grille d'interrogation, double-cliquez sur les champs souhaités dans la table concernée. Insérez tour à tour les champs *NumMedia*, *TitreMedia*, *DateAchat*, *PrixAchat* et *Rangement*.

6. Éventuellement, définissez un ordre de tri sur un ou plusieurs champs (voir page 229).

7. Exécutez la requête (voir page 223).

8. Sauvegardez la requête (voir page 223).

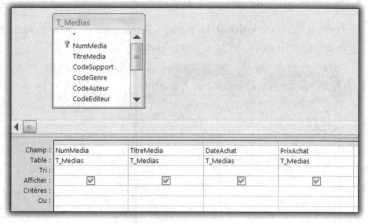

▲ Figure 4.3 : *Structure de la requête Liste des médias*

Comme dans la fenêtre **Relations**, vous pouvez déplacer et redimensionner les tables dans la partie supérieure. Si cette partie n'est pas assez grande (ou est au contraire trop grande), vous pouvez l'agrandir (ou la diminuer) en déplaçant la barre de fractionnement entre les deux parties de la fenêtre.

Exécuter une requête

Après la création de la structure de la requête, il reste à exécuter la requête et à vérifier son bon fonctionnement.

■ Pour exécuter une requête ouverte en mode Création, vous devez :

– Cliquer sur le contrôle **Affichage**.

– Ou cliquer sur le contrôle **Exécuter**.

▲ Figure 4.4 : *Contrôle Exécuter*

■ Pour exécuter une requête fermée, double-cliquez sur le nom de la requête à lancer.

> **Créer une requête efficace**
>
> ■ Une bonne requête inclut uniquement les champs néces-saires. Ne pas surcharger le nombre de champs dans une requête assure :
> - une meilleure lisibilité des informations résultantes ;
> - permet bien souvent de limiter le nombre de pages à imprimer.
> ■ Si vous souhaitez cacher une ou plusieurs colonnes, cochez la case de la ligne **Afficher** du champ correspondant. Cette techni-que est utile si vous désirez trier ou filtrer des informations sur un ou plusieurs champs précis mais ne pas voir figurer l'information en mode Feuille de données.

Enregistrer une requête

Pour enregistrer la requête précédemment créée, cliquez sur l'outil **Enregistrer** de la barre d'outils *Accès rapide*.

Si la requête a déjà été enregistrée une fois (elle est déjà nommée), les modifications sont automatiquement prises en compte, sans autre demande particulière.

En revanche, si vous enregistrez la requête pour la première fois, la boîte de dialogue **Enregistrer sous** s'affiche. Acceptez le nom proposé par Access ou saisissez-en un nouveau, puis cliquez sur le bouton OK. Nommez la requête précédemment créée *R_Medias*.

> **Nom d'une requête**
>
> N'oubliez pas de faire précéder le nom de la requête des caractères "R_".

Imprimer une requête

Si vous souhaitez imprimer le résultat de votre interrogation :

1. Ouvrez la requête en mode Feuille de données.

2. Cliquez sur le bouton **Office**.

3. Activez la commande **Imprimer**.

4. Dans la boîte de dialogue **Imprimer**, cliquez sur le bouton OK.

La feuille de réponses se présente comme une feuille de calcul Excel.

> **Aperçu avant impression**
>
> Si vous souhaitez visualiser la requête en aperçu avant impression :
> **1.** Réalisez les étapes 1 et 2.
> **2.** Cliquez sur la flèche à droite de la commande **Imprimer**.
> **3.** Sélectionnez la commande **Aperçu avant impression**. Access bascule alors en mode Aperçu avant impression, mode dans lequel il vous est possible de modifier la mise en page de la requête avant de l'imprimer.

> Pour quitter ce mode, cliquez sur le contrôle **Fermer l'aperçu avant impression** du groupe *Fermer l'aperçu* de l'onglet **Aperçu avant impression**.

▲ Figure 4.5 : *Contrôle Fermer l'aperçu avant impression*

Fermer une requête

1. Positionnez-vous dans la requête à fermer.

2. Vous avez deux possibilités pour fermer la requête :

  – Cliquez sur la case *Fermer* de l'onglet de document de la requête.
  – Cliquez du bouton droit sur l'onglet de la requête et activez la commande **Fermer** du menu contextuel.

Si aucune modification de structure n'a été apportée à la requête, celle-ci est fermée.

En revanche, si des modifications sur la structure de la requête ont été effectuées, un message demandant de confirmer ces changements s'affiche. À vous de choisir si vous acceptez ces transformations. Fermez ensuite la requête *R_Medias*.

Créer une requête avec l'assistant

Voyons comment utiliser l'**Assistant Requête** pour créer une requête :

1. Dans l'onglet **Créer**, cliquez sur le contrôle **Assistant Requête** du groupe *Autre*.

2. Dans la boîte de dialogue **Nouvelle requête**, sélectionnez *Assistant Requête simple*. Cliquez sur le bouton OK.

3. Sélectionnez la ou les tables souhaitées ainsi que les champs néces-saires. Cliquez sur le bouton **Suivant**.

Si vous avez choisi un champ numérique, deux étapes supplémentaires vous proposeront d'ajouter des champs calculés facultatifs à votre requête.

4. À la dernière étape, saisissez le nom à attribuer à la requête. Cliquez sur le bouton **Terminer**.

La requête s'exécute automatiquement.

Renommer une requête

Vous allez renommer la requête *R_Medias* en *R_ListeMedias*. Pour cela :

1. Assurez-vous que la requête est fermée.

2. Dans le groupe *Requêtes* du volet de navigation, cliquez du bouton droit sur la requête *R_Medias*.

3. Dans le menu contextuel, sélectionnez la commande **Renommer**. Le nom de la requête apparaît en surbrillance, encadré d'une bordure bleue.

4. Saisissez directement au clavier le nouveau nom, pour notre exemple R_ListeMedias.

5. Validez en appuyant sur la touche [Entrée] de votre clavier.

Supprimer une requête

Vous allez supprimer la requête *R_ListeMedias*. Pour cela :

1. Assurez-vous que la requête est fermée.

2. Dans le groupe *Requêtes* du volet de navigation, cliquez du bouton droit sur la requête *R_ListeMedias*.

3. Dans le menu contextuel, sélectionnez la commande **Supprimer**.

4. Dans la boîte de dialogue affichée, cliquez sur le bouton **Oui**. Si vous décidez d'annuler votre action, cliquez sur le bouton **Non**. Pour votre exemple, cliquez sur **Non** car cette requête vous sera utile dans la suite de l'apprentissage.

Modifier une requête existante

Dans une requête existante, il est possible d'ajouter ou de supprimer des champs, d'ajouter des champs calculés, de poser des critères, de modifier des propriétés, etc. Procédez ainsi :

1. Positionnez-vous dans l'objet requêtes.

2. Dans le groupe *Requêtes* du volet de navigation, cliquez du bouton droit sur la requête à modifier.

3. Dans le menu contextuel, sélectionnez la commande **Mode Création**.

4. Effectuez toutes les modifications souhaitées et réalisables (ajout de champs, de critères, de formules de calcul, de tris, etc.).

5. Enregistrez la requête.

> **Modification et suppression de champs dans une requête**
>
> Lorsque vous supprimez ou modifiez des champs dans une requête servant de base à une autre requête, à un formulaire ou à un état, vous pouvez provoquer des erreurs sérieuses lors de la prochaine ouverture de ces objets. Avant de modifier une requête, assurez-vous que cela n'engendre aucun désagrément pour la suite de votre travail.

Afficher/masquer le nom des tables

En mode Création d'une requête, dans l'onglet contextuel **Créer** sous l'onglet **Outils de requête**, cliquez sur le contrôle **Nom des tables** du groupe *Afficher/Masquer*. Si cette commande est déjà cochée, la ligne *Table* disparaît dans la grille d'interrogation. Dans le cas contraire, cette ligne s'affiche.

▲ Figure 4.6 : *Contrôle Nom des tables*

Déplacer un champ

Vous allez déplacer le champ *DateAchat* de la requête *R_ListeMedias* et le placer en première position. Pour cela :

1. Ouvrez la requête *R_ListeMedias* en mode Création.

2. Dans la grille d'interrogation, cliquez sur le sélecteur du champ à déplacer. Sélectionnez la colonne *DateAchat*. Le pointeur prend la forme d'une flèche verticale noire. Au moment où vous relâchez le clic, le pointeur prend la forme d'une flèche blanche.

3. Cliquez et faites glisser la colonne entière vers son nouvel emplacement. Placez le champ *DateAchat* avant le champ *NumMedia*.

Ajouter un champ

Vous allez ajouter le champ *CodeSupport* de la table *T_Medias* dans la requête *R_ListeMedias* après le champ *TitreMedia*. Pour cela :

1. Ouvrez la requête *R_ListeMedias* en mode Création.

2. Cliquez et faites glisser le champ souhaité de sa table source vers l'emplacement choisi dans la grille d'interrogation. Avant de relâcher la souris, le pointeur doit avoir la forme d'une flèche blanche accompagnée dans son angle inférieur droit d'un carré surmonté d'un signe +. Cliquez et faites glisser le champ *CodeSupport* de la table *T_Medias* vers la grille d'interrogation et lâchez la souris sur le champ *PrixAchat*. Le champ *PrixAchat* est décalé d'une colonne vers la droite.

Supprimer un champ

Dans la requête *R_ListeMedias*, l'information concernant le lieu de rangement du média ne vous apparaissant pas utile, vous souhaitez la supprimer. Procédez ainsi :

1. Ouvrez la requête *R_ListeMedias* en mode Création.

2. Dans la grille d'interrogation, cliquez sur le sélecteur du champ à supprimer. Sélectionnez la colonne *Rangement*.

Comme précédemment, le pointeur prend la forme d'une flèche verticale noire.

3. Appuyez sur la touche ⌊Suppr⌋ du clavier.

La colonne entière disparaît.

Définir un tri

Les enregistrements sont triés selon le champ *Clé primaire*. Dans la requête *R_ListeMedias*, le tri s'effectue donc par défaut sur le champ *NumMedia* qui est la clé primaire de la table *T_Medias*. Procédez ainsi :

1. Ouvrez la requête *R_ListeMedias* en mode Création.

2. Cliquez à l'intersection de la ligne *Tri* et du champ à trier. Pour notre exemple, vous allez effectuer un tri croissant sur les champs *DateAchat* et *TitreMedia*. Cliquez dans la ligne *Tri* de la colonne *DateAchat*.

3. Déroulez la liste à droite de la cellule. Choisissez le tri souhaité. Attribuez le tri *Croissant* au champ *DateAchat*.

4. Faites la même manipulation sur le champ *TitreMedia*.

La requête effectue d'abord un tri chronologique sur la date d'achat du média. Lorsqu'elle repère deux dates identiques, elle fait un tri alphabétique sur les titres des médias.

5. Fermez la requête *R_ListeMedias* et enregistrez les modifications apportées.

Créer une requête multitable

Vous créerez une requête permettant d'extraire une liste de médias contenant les informations suivantes : titre du média, prénom et nom de l'auteur, libellé du genre, support de stockage et année de parution du média. Ces informations proviennent de quatre tables différentes : *T_Medias*, *T_Auteurs*, *T_Genres* et *T_Supports*. En fait, seules deux tables sont nécessaires car le *CodeAuteur*, le *CodeGenre* et le *CodeSupport* affichent, à l'exécution de la requête, respectivement le nom de l'auteur, les libellés du genre et du support. En revanche, aucun champ de la table *T_Medias* n'affiche le prénom de l'auteur. Les tables nécessaires à la construction de la requête sont donc *T_Medias* et *T_Auteurs*.

Quand vous avez identifié les tables dont les données sont issues, assurez-vous que ces tables sont liées entre elles. C'est le cas dans notre exemple. D'ailleurs, ces relations apparaîtront automatiquement dans la partie supérieure de la requête en mode Création. Bien entendu, si ces relations n'existaient pas, il serait nécessaire de les créer avant de réaliser la requête. Sachez que c'est une étape très importante, à ne pas négliger. En effet, si ces relations n'étaient pas créées, vous auriez très peu de chances de visualiser des résultats corrects.

Pour définir cette requête, il vous suffit de suivre les étapes décrites pour la création d'une requête monotable :

1. Dans l'onglet **Créer**, cliquez sur le contrôle **Création de requête** du groupe *Autre*.

2. Dans la fenêtre **Afficher la table**, double-cliquez successivement sur les tables à interroger. Ajoutez les tables *T_Medias* et *T_Auteurs*. L'ordre de sélection des tables n'est pas important.

3. Cliquez sur le bouton **Fermer**. La fenêtre de la requête s'affiche en mode Création.

4. Pour insérer les champs dans la grille d'interrogation, double-cliquez sur ceux qui sont concernés dans la table concernée. Insérez tour à tour les champs *TitreMedia*, *CodeSupport*, *CodeGenre*, *CodeAuteur* et *AnneeParution* de la table *T_Medias*, puis faites glisser le champ *PrenomAuteur* de la table *T_Auteurs* sur le champ *AnneeParution*. Le champ *AnneeParution* est ainsi repoussé d'une colonne vers la droite et le *PrenomAuteur* se retrouve après le *CodeAuteur*.

5. Déplacez les champs *CodeSupport* et *CodeGenre* avant le champ *TitreMedia*.

6. Définissez un ordre de tri sur les champs *CodeSupport*, *CodeGenre* et *TitreMedia*. Attention, le tri du champ *CodeSupport* est fait sur un champ numérique, même si le champ *CodeSupport* laisse apparaître, après exécution, le libellé du genre et non le numéro du genre. Ne vous fiez pas aux apparences, le champ *CodeSupport* reste avant tout un champ de type *Numérique*. La même remarque est à formuler pour le champ *CodeGenre*.

7. Exécutez la requête.

8. Sauvegardez la requête sous le nom *R_ListeMediasParGenre*, puis fermez-la.

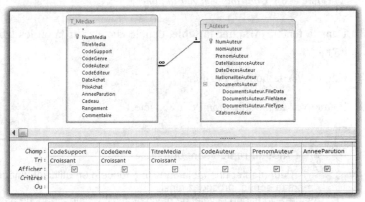

▲ Figure 4.7 : *Requête R_ListeMediasParGenre en mode Création*

Ajouter une table dans une requête

Vous souhaitez, un peu plus tard, concevoir une nouvelle requête qui ressemble beaucoup à une requête déjà créée. Dans ce cas :

■ Soit vous faites un copier/coller (cela fonctionne comme pour un copier/coller de table ou de formulaire).

■ Soit vous modifiez la requête existante.

Les données manquantes proviennent d'une table qui ne se trouve pas dans la requête. Il vous est alors possible d'ajouter une ou plusieurs tables afin de compléter la requête. Procédez ainsi :

1. Ouvrez la requête en mode Création.

2. Dans l'onglet contextuel **Créer** sous l'onglet **Outils de requête**, cliquez sur le contrôle **Afficher la table** du groupe *Paramétrage de requête*.

▲ Figure 4.8 : *Contrôle "Afficher la table"*

3. Dans la fenêtre **Afficher la table**, double-cliquez sur la ou les tables à ajouter.

4. Cliquez sur le bouton **Fermer**.

5. Poursuivez la modification de la requête.

> **astuce**
>
> **Ajouter rapidement une table**
>
> Pour ajouter une table dans une requête en utilisant uniquement la souris, procédez ainsi :
> - Assurez-vous que le volet de navigation est visible à gauche de la requête ouverte en mode création.
> - Développez la liste des tables existantes.
> - Cliquez et glissez la table à ajouter à la requête dans la zone de la requête destinée à recevoir les tables interrogées.

4.2 Définir des critères

Définition

Les critères permettent de limiter l'affichage à certains enregistrements. Les requêtes avec critères servent donc de filtres. Access offre de nombreuses possibilités pour poser des critères. Les lignes utilisées pour mettre en œuvre ces critères sont les lignes *Critères* et *Ou*.

Dans la suite du chapitre, nous avons répertorié plusieurs méthodes utiles à la mise en place de critères. Bien sûr, cette liste n'est pas exhaustive. Nous ne proposerons pas systématiquement d'exemples pratiques. À vous de les inventer.

Sur un champ de type Texte ou Mémo

- Si vous recherchez une valeur précise, saisissez simplement cette valeur. Après validation (touche [Entrée] du clavier), le texte est entouré de guillemets.

    Recherchez tous les médias dont le support est un livre. Nommez cette requête *R_ListeLivres*. Vous interrogez deux tables *T_Medias* et *T_Supports*. Le critère posé est *Livre* dans le champ *IntituleSupport*.

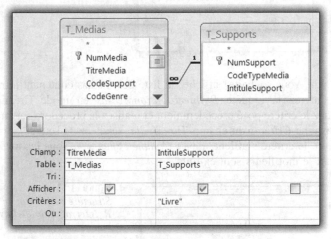

▲ Figure 4.9 : *Structure de la requête R_ListeLivres*

- Si vous recherchez une valeur approximative, utilisez les jokers. Ils fonctionnent exactement comme dans un jeu de cartes, c'est-à-dire qu'ils remplacent n'importe quel caractère (c'est le symbole ?) ou n'importe quelle chaîne de caractères (c'est le symbole *).

Créez une requête basée sur la table *T_Medias* et contenant les champs *TitreMedia* et *CodeSupport*. Vous cherchez tous les médias commençant par la lettre A. Dans la ligne *Critères* du champ *TitreMedia*, saisissez A*.

Après validation, le critère apparaît de la façon suivante : *Comme "A*"*.
Le résultat de la requête vous proposera *Au nom d'une femme* ou *Astérix
le Gaulois*. Tous les médias commençant par la lettre A seront affichés.
Sauvegardez cette requête sous le nom *R_InterrogationMedias*.

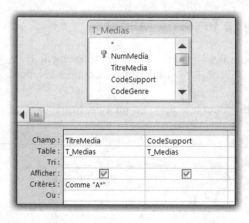

◄ Figure 4.10 :
*Structure de la requête
R_InterrogationMedias*

Maintenant, vous souhaitez afficher la liste des médias contenant le mot
fleurs. Ouvrez la requête *R_InterrogationMedias* en mode Création,
supprimez le critère posé précédemment et réalisez la procédure suivante.
Dans la ligne *Critères* du champ *TitreMedia*, saisissez *fleurs*. Après
validation, le critère s'affiche ainsi : *Comme "*fleurs*"*. Tous les médias
contenant le mot fleurs sont extraits.

◄ Figure 4.11 :
*Structure de la requête
R_InterrogationMedias
modifiée*

Enfin, vous recherchez un auteur mais vous ne vous souvenez pas exactement de l'orthographe de son nom. Il vous semble que c'est Paniol ou Panniol. Créez une requête basée sur la table *T_Auteurs*. Dans la ligne *Critères* du champ *NomAuteur*, saisissez Pa??ol. Après validation, le critère apparaît sous la forme *Comme "Pa??ol"*. Le résultat de la requête proposera évidemment Pagnol. Sauvegardez cette requête sous le nom *R_InterrogationAuteurs*.

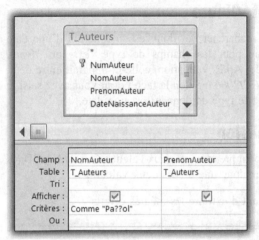

◄ Figure 4.12 :
Structure de la requête R_Interrogation Auteurs

Sur un champ numérique ou monétaire

Vous pouvez utiliser tous les opérateurs arithmétiques décrits dans le tableau ci-après.

Tab. 4.3 : Liste des opérateurs arithmétiques à utiliser pour poser des conditions dans une requête	
Opérateur	Description
<	Inférieur
<=	Inférieur ou égal
>	Supérieur
>=	Supérieur ou égal
<>	Différent de

Opérateur	Description

Tab. 4.3 : Liste des opérateurs arithmétiques à utiliser pour poser des conditions dans une requête

Opérateur	Description
=	Égal (il est généralement omis dans la ligne *Critères*)

Sur un champ Date/Heure

Vous pouvez également rechercher des données en fonction d'une date précise. Procédez comme pour les champs de type *Texte* ou *Mémo*. Saisissez la date souhaitée. Après validation, celle-ci apparaît entre deux dièses sous la forme *#15/12/2006#*. Selon la façon dont vous avez saisi le critère, Access repère que le type de données est une date.

Sur un champ Oui/Non

Un champ de ce type ne peut prendre que deux valeurs, Oui ou Non. Dans la ligne *Critères*, saisissez donc une de ces deux valeurs.

Créez la requête permettant d'extraire les médias offerts.

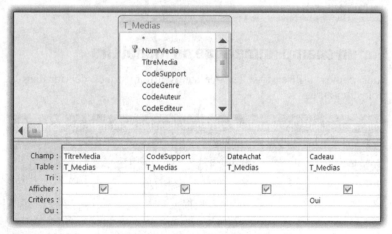

▲ Figure 4.13 : *Structure de la requête R_MediasOfferts*

La recherche des données dans un intervalle

Vous souhaitez extraire des données contenues entre deux dates ou entre deux valeurs numériques. Vous utiliserez la syntaxe suivante : *Entre élément 1 et élément 2*. L'objectif de notre exemple est de créer la requête permettant d'afficher tous les médias achetés sur la période de mai 2006 à juillet 2006.

1. Créez une nouvelle requête basée sur la table *T_Medias* et insérez les champs *TitreMedia*, *CodeSupport* et *DateAchat*.

2. Dans la ligne *Critères* du champ *DateAchat*, saisissez entre 01/05/ 2006 et 31/07/2006. Après validation, le critère se transforme en *Entre #01/05/2006# Et #31/07/2006#*. Comme ce sont deux dates, Access les entoure de dièses. Vous auriez également pu saisir >=01/05/2006 et <=31/07/2006.

3. Sauvegardez cette requête sous le nom *R_InterrogationDatesAchats*.

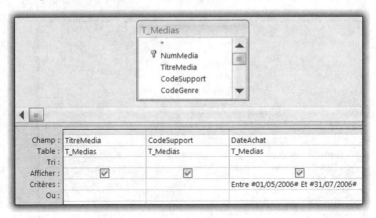

▲ Figure 4.14 : *Structure de la requête R_InterrogationDatesAchats*

Prenons un deuxième exemple.

1. Créez une requête affichant la liste des médias dont le prix est compris entre 10 et 30 euros.

2. Dans la ligne *Critères* du champ *PrixAchat*, saisissez entre 10 et 30. Après validation, le critère devient *Entre 10 Et 30*. Access met la première lettre de chaque mot en majuscules. C'est simple.

Utiliser les autres opérateurs

Voici une liste complémentaire mais non exhaustive d'opérateurs pouvant être utilisés en tant que critères dans une requête.

Vous souhaitez obtenir la liste de tous les médias dont la date d'achat n'a pas été saisie afin de la compléter. Cela équivaut à extraire des données dont le champ *DateAchat* est vide. Pour extraire des enregistrements qui ne contiennent aucune valeur dans un champ, il faut utiliser l'expression *Est Null*.

Ouvrez la requête *R_InterrogationDatesAchats* créée précédemment en mode Création et supprimez le critère saisi sous le champ *DateAchat*. Dans la ligne *Critères* du champ *DateAchat*, saisissez Est Null.

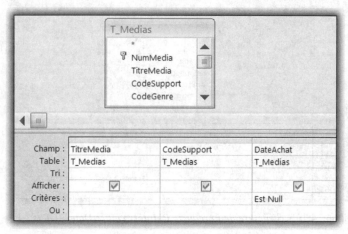

▲ Figure 4.15 : *Structure de la requête R_InterrogationDatesAchats modifiée*

À l'inverse de la requête précédente, vous désirez la liste des médias qui contiennent une date d'achat. Dans la ligne *Critères* du champ *DateAchat*, vous saisirez la valeur Est pas Null. Modifiez la requête précédente pour tester le critère.

Enfin, vous désirez obtenir la liste de tous les médias, tous genres confondus, excepté les bandes dessinées. Créez une nouvelle requête basée sur les tables *T_Medias* et *T_Genres* contenant les champs *TitreMedia* et *LibelleGenre*. Dans la ligne *Critères* du champ *LibelleGenre*, saisissez Pas Bande dessinée ou encore <> Bande dessinée. Après validation, le critère se transforme en *Pas "Bande dessinée"* ou *<>"Bande dessinée"*. Sauvegardez cette requête sous le nom *R_MediasPasBD*.

Combiner plusieurs critères avec les opérateurs logiques Et/Ou

Vous pouvez définir plusieurs conditions dans une requête. Dans ce cas, Access vous permet de combiner différents critères en mettant à votre disposition deux opérateurs logiques, Et et Ou.

Si vous saisissez plusieurs critères sur la même ligne, un enregistrement ne sera affiché que s'il satisfait à tous les critères de cette ligne. Cela correspond à l'opérateur Et. Pour exprimer un Et dans un seul champ, utilisez l'opérateur entre chaque critère. Attention, maniez délicatement l'opérateur Et car un mauvais emploi peut amener à un résultat nul, comme dans le troisième cas énoncé ci-après.

Vous souhaitez obtenir la liste des médias du genre *Bande dessinée* dont le prix est supérieur à 8 euros :

1. Créez une nouvelle requête basée sur les tables *T_Medias* et *T_Genres*.

2. Insérez les champs *TitreMedia*, *PrixAchat* de la table *T_Medias* et le champ *LibelleGenre* de la table *T_Genres*.

3. Posez les critères nécessaires et exécutez la requête.

4. Sauvegardez cette requête sous le nom *R_MediasBDPlusDe8Euros*. Les deux critères sont saisis dans la ligne *Critères*, comme l'indique l'image suivante (voir Figure 4.16).

En revanche, si vous saisissez les critères sur plusieurs lignes, c'est-à-dire les uns au-dessous des autres, il suffit qu'un seul des critères soit satisfait pour obtenir un résultat. Cela correspond à l'opérateur logique Ou. Il s'utilise dans la grille d'interrogation en remplissant les lignes *Critères* et

Ou. Dans un champ, vous pouvez également saisir l'opérateur Ou entre chaque critère.

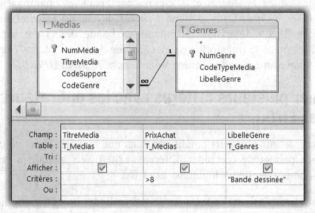

▲ Figure 4.16 : *Utilisation de l'opérateur logique ET*

Vous souhaitez obtenir la liste des médias du genre *Roman* ou du genre *Poésie*. Dans la ligne *Critères* du champ *LibelleGenre*, saisissez Roman ou Poésie, ou bien dans la ligne *Critères* du champ *LibelleGenre*, saisissez Roman et dans la ligne *Ou* du champ *LibelleGenre*, tapez Poésie.

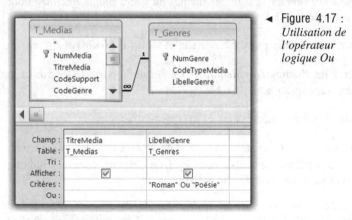

◄ Figure 4.17 : *Utilisation de l'opérateur logique Ou*

Avant de mettre en œuvre une requête nécessitant l'utilisation de ces deux opérateurs, réfléchissez bien à ce que vous désirez obtenir comme résultat.

Ne confondez pas les expressions utilisées dans le langage courant (et néanmoins correctes) et les expressions comprises par l'ordinateur.

Affichez la liste des livres écrits par l'auteur Marcel Pagnol et par l'auteur Charles Baudelaire. Cette expression est grammaticalement satisfaisante. En revanche, Access vous renverrait un résultat nul si vous appliquiez stricto sensu ce langage. En effet, il n'est pas possible qu'un auteur se nomme à la fois Marcel Pagnol et Charles Baudelaire. Dans la requête, il faudra utiliser l'opérateur logique Ou et non Et.

De nombreuses combinaisons sont réalisables quand vous maîtrisez bien ces deux opérateurs. Il s'agit juste de rester logique et cohérent.

Utiliser des fonctions de calcul

Pour affiner encore un peu l'élaboration de vos requêtes, Access met également à votre disposition des fonctions de calcul. Nous vous proposons quelques fonctions permettant de traiter des champs de type *Date*. L'objectif de cet exemple est de créer une requête permettant d'obtenir la liste des médias achetés chaque mois d'août (peu importe l'année). Procédez ainsi :

1. Créez une nouvelle requête basée sur la table *T_Medias* et contenant les champs *TitreMedia*, *CodeSupport* et *DateAchat*.

2. Dans la ligne *Critères* du champ *DateAchat*, saisissez `Mois([DateA-chat])=8`.

3. Nommez cette requête *R_MediasAchatAout*. N'oubliez pas de saisir les crochets autour du nom du champ (voir Figure 4.18).

4. Exécutez et fermez cette requête.

5. Ouvrez de nouveau cette requête en mode Création. Vous constatez qu'Access a modifié sa structure. Le critère est devenu un champ calculé. Cela n'a aucune importance dans l'exécution et le résultat de la requête.

Voici une liste de quelques fonctions permettant de poser des critères sur les champs de type *Date*.

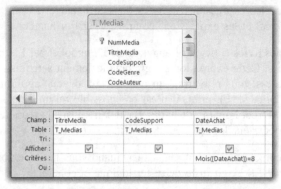

▲ Figure 4.18 : *Structure de la requête R_MediasAchatAout*

Ta .4 : Fonctions sur les dates les plus couramment utilisées	
Fonction	Description
Année([DateAchat])	Renvoie l'année de la date d'achat saisie
Mois([DateAchat])	Renvoie le mois de la date d'achat saisie
Jour([DateAchat])	Renvoie le jour de la date d'achat saisie
Date()	Renvoie la date système (en principe la date du jour si votre ordinateur est bien réglé)

Particularité des fonctions Date

Chaque fonction *Date* renvoie un numéro et non une valeur textuelle. Vous ne pourrez pas saisir Jour([DateAchat])=mardi mais plutôt Jour([DateAchat])=3.

Ta .5 : Correspondance entre le nom des jours et leur numéro	
Nom du jour	Numéro
Dimanche	1
Lundi	2
Mardi	3
Mercredi	4

Tab. 4.5 : Correspondance entre le nom des jours et leur numéro	
Nom du jour	Numéro
Jeudi	5
Vendredi	6
Samedi	7

Prolongez l'exemple précédent en affichant la liste des médias achetés au mois d'août 2002. Sauvegardez cette requête sous le nom *R_Medias AchatAout2002*.

Dans la colonne *DateAchat*, il s'agit de saisir le critère : Mois([DateAchat])=8 Et Année([DateAchat])=2002.

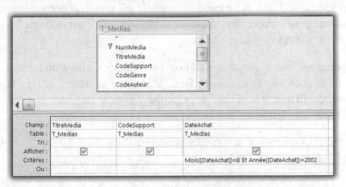

▲ Figure 4.19 : *Structure de la requête R_MediasAchatAout2002*

4.3 Créer des requêtes avancées

Ajouter un champ calculé

Jusqu'à présent, tous les champs utilisés provenaient des tables de votre base de données. Il est possible, dans une requête, de créer de nouveaux champs fictifs utiles à un complément d'information. Comme dans les formulaires, vous pouvez ajouter des champs calculés.

Imaginons que vous souhaitiez calculer le prix d'achat en francs de chaque média. Créez une nouvelle requête basée sur la table *T_Medias*.

Dans la grille d'interrogation, ajoutez les champs *TitreMedia*, *DateAchat* et *PrixAchat*. Attribuez un tri croissant au champ *PrixAchat*. Nommez cette requête *R_MediasPrixFrancs*.

Pour créer un champ calculant le prix en francs de chaque média, suivez les étapes ci-après :

1. Dans la grille d'interrogation, cliquez dans la première colonne vide de la ligne *Champ*.

2. Saisissez un nom pour ce nouveau champ, PrixAchatF, immédiatement suivi du symbole ":". Les deux-points sont impératifs car ils permettent de séparer le nom du champ de la formule de calcul.

3. À la suite du symbole ":", saisissez la formule de calcul [Prix Achat]*6,55957. En principe, les crochets ne sont pas obligatoires car le champ ne contient pas d'espaces. Mais prenez l'habitude de les insérer car c'est la syntaxe exacte.

4. Appliquez un format monétaire au nouveau champ. Cliquez du bouton droit dans le champ *PrixAchatF*. Dans le menu contextuel, activez la commande **Propriétés**. Dans la propriété *Format*, saisissez le code # #00,00 " F".

5. Exécutez et enregistrez la requête, puis fermez-la.

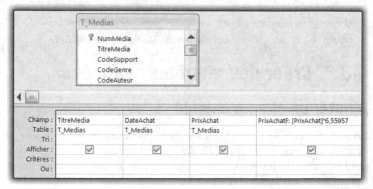

▲ Figure 4.20 : *Création d'un champ calculé dans la requête R_MediasPrixFrancs*

Effectuer des calculs par groupes de données

La fonctionnalité abordée maintenant permet d'effectuer des calculs sur un regroupement de données. Par exemple, vous souhaitez connaître le montant total des achats de médias par support. Cela répond à la question "Combien ai-je dépensé en CD, en DVD, en livres… ?".

Pour cela, créez une nouvelle requête basée sur les tables *T_Medias* et *T_Supports*. Elle doit permettre de connaître :

- Le montant des achats effectués par support.
- Le nombre de médias possédés par support.

Dans la grille d'interrogation, ajoutez le champ *IntituleSupport* de la table *T_Supports* puis les champs *TitreMedia* et *PrixAchat* de la table *T_Medias*. Attribuez un tri croissant sur le champ *IntituleSupport*. Sauvegardez la requête sous le nom *R_AchatsMediasParSupport*.

Pour finir la requête, suivez ces instructions :

1. Cliquez sur le contrôle **Totaux** du groupe *Afficher/Masquer*. Dans la grille d'interrogation, une nouvelle ligne nommée *Opération* apparaît sous la ligne *Table*. Elle contient, sous chaque champ, l'information *Regroupement*.

2. Dans la ligne *Opération*, sous le champ *TitreMedia*, choisissez la fonction *Compte* dans la liste déroulante, et dans la ligne *Opération* du champ *PrixAchat*, choisissez la fonction *Somme* dans la liste déroulante.

3. Exécutez et enregistrez la requête. Fermez cette requête (voir Figure 4.21).

> **astuce**
>
> **Compter les enregistrements contenus dans un groupe**
>
> La fonction *Compte* permet de dénombrer tous les enregistrements d'un groupe. De plus, elle s'applique non seulement aux champs de type *Numérique*, mais également à ceux de type *Texte*.

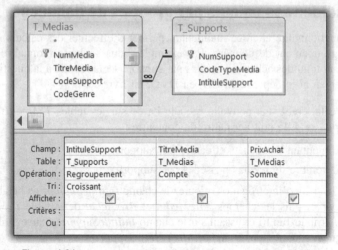

▲ Figure 4.21 : *Structure de la requête R_AchatsMediasParSupport*

Créer une requête paramétrée

Une requête paramétrée est une requête qui, à chaque exécution, demande un complément d'information à l'utilisateur. Cette requête pose une question et renvoie les enregistrements correspondant à la réponse formulée. C'est une autre façon de limiter les enregistrements au lancement d'une requête.

Reprenons l'exemple traité à la page 233 concernant la requête *R_Liste-Livres*. Plutôt que de construire plusieurs requêtes (une affichant la liste des CD, une autre, la liste des livres, et ainsi de suite pour chaque support), vous allez en créer une seule permettant d'afficher successivement les données souhaitées. Pour cela :

1. Ouvrez la requête *R_ListeLivres* en mode Création. Supprimez le critère posé sur le champ *IntituleSupport*.

2. Dans la ligne *Critères* du champ *IntituleSupport*, tapez [Saisissez le libellé du support souhaité]. N'omettez pas les crochets. Validez en appuyant sur la touche (Entrée) du clavier.

3. Exécutez la requête.

La boîte de dialogue **Entrer une valeur de paramètre** s'affiche.

4. Saisissez le support dont vous souhaitez visualiser les médias, par exemple CD. Cliquez sur OK.

◄ Figure 4.22 :
Boîte de dialogue d'une requête paramétrée

Les enregistrements du support CD apparaissent dans la fenêtre en mode Feuille de données.

5. Fermez cette requête et renommez-la *R_ListeMediasParSupport*.

6. À présent, vous pouvez relancer la requête autant de fois que vous le souhaitez. À chaque exécution, la boîte de dialogue s'affiche, attendant la saisie du critère.

Utiliser le générateur d'expression

Le générateur d'expression est un outil qui peut vous aider dans la mise en œuvre de vos critères.

Pour comprendre son fonctionnement, prenons un cas simple. Revenons sur l'exemple des médias achetés dans un intervalle de deux dates. Au lieu de saisir manuellement le critère (ce que vous savez faire maintenant), vous allez concevoir l'expression à l'aide du générateur.

Imaginons que vous souhaitiez visualiser la liste des médias achetés cette année, c'est-à-dire les médias achetés du 1er janvier 2006 à aujourd'hui. Procédez ainsi :

1. Créez une nouvelle requête basée sur la table *T_Medias*.

2. Ajoutez les champs *TitreMedia*, *DateAchat* et *PrixAchat*.

3. Appliquez un tri croissant sur le champ *DateAchat*.

4. [⚙ Créer...]   Dans la ligne *Critères* du champ *DateAchat*, faites un clic droit. Dans le menu contextuel, activez la commande **Créer**.

Une nouvelle boîte de dialogue nommée **Générateur d'expression** s'affiche à l'écran.

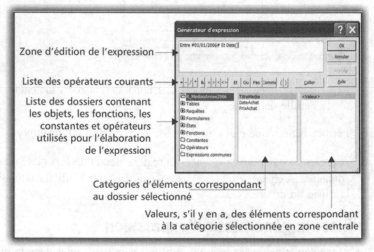

▲ Figure 4.23 : *Description de la boîte de dialogue Générateur d'expression*

5. Dans la partie rectangulaire gauche de la boîte, cliquez sur le dossier *Opérateurs*. Cela entraîne l'affichage des familles d'opérateurs dans le cadre rectangulaire central, ainsi que celui de la liste complète des opérateurs disponibles dans le cadre rectangulaire de droite.

6. Cliquez sur la famille *Comparaison*. Cela a pour effet de restreindre la liste des opérateurs à la catégorie concernée.

7. Double-cliquez sur l'opérateur *Entre*. L'opérateur et sa syntaxe se trouvent alors insérés dans le cadre rectangulaire, dans la partie supérieure de la boîte.

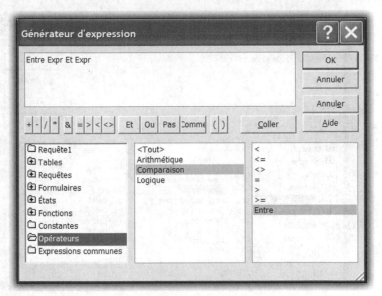

▲ Figure 4.24 : *Choix de l'opérateur*

Vous devez maintenant modifier les deux éléments *Expr* en fonction de vos propres souhaits. Le premier *Expr* prendra la valeur du 1er janvier 2006 et le second, la valeur de la date du jour. Pour la date du jour, vous insérerez une fonction qui calculera automatiquement cette date.

8. Double-cliquez sur le premier *Expr* pour le sélectionner et saisissez 01/01/2006.

9. Double-cliquez sur le deuxième *Expr* pour le sélectionner. Dans la partie rectangulaire gauche de la boîte, double-cliquez successivement sur le dossier *Fonctions* et le dossier *Fonctions intégrées*. Cela entraîne l'affichage des familles de fonctions dans la partie rectangulaire centrale et l'affichage de la liste complète des fonctions mises à disposition par Access dans le cadre rectangulaire de droite.

10. Cliquez sur la famille *Date/Heure* dans le cadre central.

11. Double-cliquez sur la fonction *Date* dans le cadre de droite.

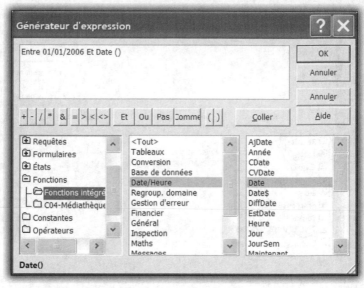

▲ Figure 4.25 : *Insertion de la date du jour*

12. Une fois l'expression terminée, cliquez sur le bouton OK.

13. Exécutez la requête et sauvegardez-la sous le nom *R_MediasAnnee2006*.

Entraînez-vous à générer d'autres expressions avec cet outil. Il est remarquable, surtout lorsque vous débutez dans l'élaboration de critères.

Abaisser le niveau de sécurité

Avant d'aborder les requêtes action, nous vous proposons une légère digression sur la sécurité dans Access. En effet, Access peut refuser d'exécuter une requête action si la sécurité définie est trop élevée. Lorsque cette situation se produit, le message "Le mode désactivé a bloqué cette action ou cet événement" s'affiche dans la barre d'état d'Access. Deux solutions sont envisageables.

Une première solution consiste à abaisser le niveau de sécurité en autorisant l'exécution de macros. Pour cela :

1. Cliquez sur le bouton **Office** en haut à gauche de la fenêtre Access.

2. Cliquez sur le bouton **Options Access** en bas à droite du menu déroulé.

3. Dans le volet situé à gauche de la boîte de dialogue **Options Access**, sélectionnez la catégorie *Centre de gestion de la confidentialité*.

4. Cliquez sur le bouton **Paramètres du Centre de gestion de la confidentialité** à droite de la fenêtre.

5. Dans la catégorie *Paramètres des macros*, sélectionnez l'option *Activez toutes les macros*. Puis cliquez sur le bouton OK.

Une deuxième solution consiste à activer le contenu bloqué. Pour cela :

1. Affichez la barre des messages. Pour savoir comment afficher la barre des messages, reportez-vous à la page 51 du chapitre *Découverte de l'environnement Microsoft Access 2007*. Si nécessaire, fermez et relancez Access et la base de données pour prendre en compte cette dernière modification.

2. Dans la barre des messages, cliquez sur le bouton **Options**.

3. Dans la boîte de dialogue **Fiabilité dans Office**, cochez l'option *Activer ce contenu*, puis cliquez sur le bouton OK. La barre des messages disparaît.

Créer une requête création de table

Si vous commencez la lecture de notre ouvrage à cet endroit, vous pouvez utiliser la base de données *C04-Médiathèque02.accdb* téléchargeable sur notre site à l'adresse www.microapp.com. Toutes les manipulations effectuées auparavant y sont stockées.

La requête création de table fait partie des requêtes action. Ces requêtes modifient le contenu des champs directement dans les tables.

Vous avez vendu tous vos médias du genre *Comédie*. Vous souhaitez donc les supprimer rapidement de votre base de données. Mais, avant cela, vous désirez conserver une trace des références que vous possédiez. Aussi, vous décidez de créer une table qui servira d'archives.

Vous passerez donc par l'élaboration d'une requête création. Cette requête a pour but de créer une table et d'y intégrer les seules données à archiver.

1. Commencez par créer une nouvelle requête basée sur les tables *T_Genres* et *T_Medias*. Ajoutez d'une part les champs à archiver, soit *NumMedia*, *TitreMedia*, *CodeSupport*, *CodeGenre*, *CodeAuteur*, *CodeEditeur*, *DateAchat*, *PrixAchat* de la table *T_Medias*, et d'autre part le champ *LibelleGenre* de la table *T_Genres* qui servira pour poser le critère.

2. Saisissez le critère `Comédie` dans le champ *LibelleGenre*. Vérifiez éventuellement le bon fonctionnement de votre requête. Jusque-là, nous sommes toujours en présence d'une requête sélection.

3.   Dans l'onglet contextuel **Créer** sous l'onglet **Outils de requête**, cliquez sur le contrôle **Création de table** du groupe *Type de requête*.

Une nouvelle boîte de dialogue **Création de table** apparaît.

4. Saisissez-y le nom de votre nouvelle table, par exemple `T_Archives-Comedies`. Gardez l'option *Base de données actuelle* sélectionnée. L'option *Autre base de données* exporte la table dans une base Access, Paradox, dBase, Excel ou autre. Cliquez sur le bouton OK.

▲ Figure 4.26 : *Boîte de dialogue Création de table*

5. Décochez la case *Afficher* du champ *LibelleGenre* car vous ne souhaitez pas exporter ce champ dans la nouvelle table.

6. Cliquez sur l'outil **Exécuter** pour lancer la requête. Seul cet outil est à utiliser pour que la nouvelle table soit créée.

   Une boîte de dialogue vous demande confirmation et vous avertit du nombre d'enregistrements ajoutés.

7. Cliquez sur le bouton **Oui**.

8. Fermez la requête et sauvegardez-la sous le nom *R_ArchivesMedias*.

   Cette requête pourra être utile pour l'archivage d'enregistrements d'un autre genre. Cependant, n'oubliez pas qu'il est inutile d'enregistrer une requête créée pour une seule occasion.

9. Recherchez et ouvrez la table *T_ArchivesComedies* afin de vérifier que tout s'est bien déroulé.

Créer une requête suppression

Après avoir ajouté les médias vendus dans une archive, vous souhaitez les supprimer de la table *T_Medias*. Bien sûr, vous pouvez les supprimer un par un (surtout lorsque le nombre d'enregistrements est restreint, comme c'est le cas dans votre application actuelle), mais cela peut être long et fastidieux et suppose des risques d'erreur et d'oubli. Utilisez donc la méthode proposée par la requête suppression. Pour cela :

1. Créez une nouvelle requête basée uniquement sur la table *T_Medias*. En effet, Access efface des enregistrements ne provenant que d'une seule table. Repérez donc au préalable le *CodeGenre* correspondant au genre *Comédie* en ouvrant la table *T_Genres*.

2. Sélectionnez les champs *TitreMedia* et *CodeGenre*. Ces deux champs sont suffisants car la requête supprime la totalité de l'enregistrement. Il n'est donc pas nécessaire de faire figurer tous les champs de la table *T_Medias*. Dans la ligne *Critères* du *CodeGenre*, saisissez le numéro correspondant au genre *Comédie*, soit le code 6.

3. Dans l'onglet contextuel **Créer** sous l'onglet **Outils de requête**, cliquez sur le contrôle **Suppression** du groupe *Type de requête*.

4. Cliquez sur l'outil **Exécuter** pour lancer la requête.

Une boîte de dialogue vous demande confirmation et vous avertit du nombre d'enregistrements supprimés.

5. Cliquez sur le bouton **Oui**. Attention, cette action est irréversible.

6. Fermez la requête et sauvegardez-la sous le nom *R_SuppressionMedias*.

Cette requête pourra être utile pour la suppression d'enregistrements d'un autre genre.

7. Vérifiez, dans la table *T_Medias*, que les enregistrements ont disparu.

Suppressions impossibles

Vous ne pourrez pas supprimer des médias si ces derniers sont actuellement empruntés ou s'ils ont déjà fait l'objet d'un emprunt par l'un de vos amis. C'est la règle de l'intégrité référentielle qui s'applique.

Créer une requête ajout

Finalement, vous avez supprimé trop vite les données. Comme vous les aviez archivées au préalable, vous pouvez de nouveau les intégrer dans la table *T_Medias*. Le seul inconvénient est que vous n'aviez pas archivé les données de tous les champs. Dans la restitution, il manquera donc des informations que vous devrez saisir de nouveau. Procédez ainsi :

1. Créez une nouvelle requête basée sur la table *T_ArchivesComedies*.

2. Ajoutez tous les champs de la table dans la grille d'interrogation. Le champ * dans la table *T_ArchivesComedies* représente tous les champs de la table. Double-cliquez sur l'étoile pour l'insérer dans la grille. C'est plus rapide. Cela vous évite d'ajouter tout à tour chaque champ.

3.  Dans l'onglet contextuel **Créer** sous l'onglet **Outils de requête**, cliquez sur le contrôle **Ajout** du groupe *Type de requête*.

Une nouvelle boîte de dialogue nommée **Ajout** apparaît.

4. Dans la rubrique *Nom de la table*, sélectionnez la table dans laquelle vous souhaitez ajouter les données. Sélectionnez la table *T_Medias*. Gardez l'option *Base de données actuelle* cochée. Cliquez sur le bouton OK.

▲ Figure 4.27 : *Boîte de dialogue Ajout*

Une nouvelle ligne *Ajouter à* apparaît dans la grille d'interrogation.

5. Cliquez sur l'outil **Exécuter** pour lancer la requête.

Une boîte de dialogue vous demande confirmation et vous avertit du nombre d'enregistrements ajoutés.

6. Cliquez sur le bouton **Oui**. Attention, cette action est irréversible. Fermez la requête et sauvegardez-la sous le nom *R_AjoutMedias*.

7. Vérifiez dans la table *T_Medias* que les enregistrements ont été ajoutés et saisissez manuellement les informations manquantes.

Créer une requête mise à jour

En principe, les requêtes mise à jour sont le plus souvent utilisées pour modifier le contenu d'un champ numérique.

Vous avez pour habitude d'acheter tous vos livres dans un lieu où vous avez systématiquement 5 % de remise. Vous décidez donc de mettre à jour le prix d'achat de chaque livre au vrai prix éditeur, afin de connaître le prix que vous auriez dû payer sans cette remise. Procédez ainsi :

1. Créez une nouvelle requête basée sur les tables *T_Medias* et *T_Supports*.

2. Ajoutez les champs *TitreMedia* et *PrixAchat* de la table *T_Medias* et *IntituleSupport* de la table *T_Supports*. Dans la ligne *Critères* du champ *IntituleSupport*, saisissez Livre.

3. Dans l'onglet contextuel **Créer** sous l'onglet **Outils de requête**, cliquez sur le contrôle **Mettre à jour** du groupe *Type de requête*.

   Une nouvelle ligne *Mise à jour* apparaît dans la grille d'interrogation.

4. Dans cette ligne *Mise à jour* du champ *PrixAchat*, saisissez [Prix Achat]/0,95 et cliquez sur l'outil **Exécuter** pour lancer la requête.

   Une boîte de dialogue vous demande confirmation et vous avertit du nombre d'enregistrements modifiés.

5. Cliquez sur le bouton **Oui**.

   Faites attention à ne pas exécuter plus d'une fois la requête, autrement le prix d'achat augmenterait dangereusement. Si, malgré tout, il vous arrive d'exécuter la requête plus de fois que nécessaire, concevez la formule dans l'autre sens afin de retrouver le prix normal. Il suffit de saisir la formule [PrixAchat]*0,95.

6. Fermez la requête et sauvegardez-la sous le nom *R_MAJPrixAchat Editeur*.

7. Vérifiez dans la table *T_Medias* que les enregistrements ont été modifiés.

Créer une requête analyse croisée

Les requêtes analyse croisée permettent de créer des tableaux synthétiques. Si vous connaissez Excel, cette requête ressemble beaucoup aux tableaux croisés dynamiques.

Vous allez construire une requête permettant de connaître le nombre de livres détenus par genre et par éditeur. Procédez ainsi :

1. Créez une nouvelle requête basée sur les tables *T_Genres*, *T_Editeurs* et *T_Medias*. Ajoutez les champs *LibelleGenre*, *NomEditeur* et *Titre-Media*.

2. Dans l'onglet contextuel **Créer** sous l'onglet **Outils de requête**, cliquez sur le contrôle **Analyse croisée** du groupe *Type de requête*.

Deux nouvelles lignes *Opération* et *Analyse* apparaissent dans la grille d'interrogation. La ligne *Analyse* indique où les données de chaque champ seront positionnées dans le tableau final :

– Dans la première colonne du tableau, c'est l'option *En-tête de ligne*.

– Dans la première ligne du tableau, c'est l'option *En-tête de colonne*.

– Dans le reste du tableau, c'est l'option *Valeur*.

Règle à respecter

Dans une requête analyse croisée, on peut définir plusieurs champs en-tête de ligne, mais un seul champ en-tête de colonne et en valeur.

La ligne *Opération* indique le type de calcul à attribuer à chaque champ. En principe, les champs *En-tête de ligne* et *En-tête de colonne* sont affectés de l'option *Regroupement*. Pour le champ *Valeur*, une fonction parmi celles qui sont proposées doit lui être attribuée (*Somme*, *Moyenne*, *Min*, *Max*, *Compte*, *Écart type*, *Var*, *Premier*, *Dernier*, *Expression* et *Où*).

3. Dans la ligne *Analyse* du champ *LibelleGenre*, sélectionnez *En-tête de ligne*. Dans la ligne *Analyse* du champ *NomEditeur*, sélectionnez *En-tête de colonne*. Enfin, dans la ligne *Analyse* du champ *TitreMedia*, sélectionnez *Valeur*.

4. Dans la ligne *Opération* du champ *LibelleGenre*, conservez *Regroupement*. Dans la ligne *Opération* du champ *NomEditeur*, conservez

Regroupement. Enfin, dans la ligne *Opération* du champ *TitreMedia*, sélectionnez *Compte*.

5. Exécutez la requête selon la méthode de votre choix. Vous n'êtes pas obligé d'utiliser l'outil **Exécuter** comme précédemment.

6. Sauvegardez la requête sous le nom *R_NBMediasParGenreEtEditeur*.

7. Basculez de nouveau en mode Création.

   Vous allez améliorer le résultat en ajoutant un champ calculé. Ce champ indiquera le total de médias détenus par genre.

8. Dans la ligne *Champ* de la quatrième colonne (actuellement vide), saisissez le nom du champ calculé suivi du nom du champ sur lequel s'effectue le calcul : `Total:TitreMedia`.

9. Dans la ligne *Analyse* de ce champ, choisissez *En-tête de ligne* et dans la ligne *Opération*, sélectionnez la fonction *Compte*.

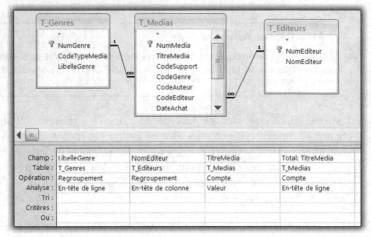

Champ :	LibelleGenre	NomEditeur	TitreMedia	Total: TitreMedia
Table :	T_Genres	T_Editeurs	T_Medias	T_Medias
Opération :	Regroupement	Regroupement	Compte	Compte
Analyse :	En-tête de ligne	En-tête de colonne	Valeur	En-tête de ligne
Tri :				
Critères :				
Ou :				

▲ Figure 4.28 : *Structure de la requête R_NBMediasParGenreEtEditeur*

10. Exécutez la requête. La colonne *Total* apparaît après la colonne *LibelleGenre*.

11. Sauvegardez et fermez cette requête.

Utiliser l'Assistant Trouver les doublons

Il se peut que vous ayez saisi par inadvertance deux fois, ou même davantage, le même média dans la table *T_Medias*. Ce n'est pas toujours facile de repérer ce type d'erreur. Aussi, encore une fois, Access vient à votre secours pour vous aider à gérer ce petit souci.

Vous allez vérifier s'il existe ou pas des doublons (doublon signifie au sens large plus d'une fois ; ce peut être deux, trois ou plus) dans votre table *T_Medias*.

Pour une fois, vous allez créer cette requête avec un assistant. Procédez ainsi :

1. Dans l'onglet **Créer**, cliquez sur le contrôle **Assistant Requête** du groupe *Autre*.

2. Dans la boîte de dialogue **Nouvelle requête**, sélectionnez *Assistant Requête trouver les doublons*. Cliquez sur le bouton OK.

3. Sélectionnez la table *T_Medias* où vous devez vérifier la présence de doublons. Cliquez sur le bouton **Suivant**.

4. Sélectionnez le champ qui peut poser problème : *TitreMedia*. Cliquez sur le bouton **Suivant**.

5. Il est prudent de sélectionner d'autres champs qui permettront de contrôler si vous avez des enregistrements réellement identiques. En effet, vous pouvez avoir saisi deux médias dont le titre est identique mais l'auteur différent. Par conséquent, sélectionnez *CodeSupport*, *CodeGenre*, *CodeAuteur*, *DateAchat* et *PrixAchat*. Cliquez sur le bouton **Suivant**.

6. À la dernière étape, modifiez le nom proposé en *R_MediasEnDouble*. Cliquez sur le bouton **Terminer**.

La requête s'exécute automatiquement et vous propose un résultat.

7. Vous pouvez faire directement "votre ménage" dans cette requête. Supprimez donc les enregistrements en double s'il en existe. Cette requête pourra vous servir ponctuellement afin de vérifier si un enregistrement a été saisi plusieurs fois.

5

Créer
et gérer
des états

5.1 Débuter avec les états

La conception des états est très proche de la conception des formulaires. Par conséquent, vous ne devriez pas rencontrer trop de difficultés. Les états sont également appelés des rapports car ils sont destinés à être imprimés. Comme les formulaires, ils sont dynamiques. Cela signifie que vous n'avez pas besoin de les créer de nouveau lorsque vous ajoutez, modifiez ou supprimez des données dans les tables.

Il existe plusieurs possibilités pour créer un état :

- Utiliser l'outil **État** pour générer rapidement un rapport dont la source est une table ou une requête existante. L'état est créé automatiquement, aucune question n'est posée à l'utilisateur.

- Utiliser un assistant. Au cours des étapes successives, l'utilisateur est amené à effectuer des choix sur les champs à ajouter, la présentation des champs (tabulaire, en colonne, c'est-à-dire sous forme de fiche, etc.) et la mise en forme générale de l'état.

- Utiliser l'outil **État** vide pour créer manuellement un rapport, sans l'aide du logiciel. Dans ce cas, il faut maîtriser les propriétés des états et des contrôles qui le composent. Cet outil est intéressant si vous envisagez de n'insérer que quelques champs d'une table ou d'une requête dans un état.

Créer rapidement un état

Pour votre premier état, vous utiliserez l'outil **État**. Il offre l'avantage de créer rapidement un rapport. En revanche, la présentation n'est pas très élaborée et cet état ne met pas en œuvre toutes les possibilités d'Access. Les états rapides existent uniquement sous la forme de tableau.

Réalisez un état présentant la liste des auteurs. Pour cela :

1. Ouvrez la base de données *C05-Médiathèque01.accdb*.

2. Dans le volet de navigation, sélectionnez la table *T_Auteurs*.

3. Dans l'onglet **Créer**, cliquez sur le contrôle **État** du groupe *Etats*.

L'état est créé immédiatement et affiche le résultat en mode Page.

Découvrir les différents modes d'affichage

Access propose quatre modes d'affichage :

- Mode Rapport : ce mode vous permet de visualiser les données telles qu'elles seront imprimées. Toutefois, vous ne pouvez pas modifier l'agrandissement ou la réduction (options de zoom) du document et obtenir ainsi une vue générale d'une page de l'état. Si votre état comporte plusieurs colonnes, vous n'en visualiserez qu'une seule en mode Rapport (c'est le cas des états étiquettes).

- Mode Page : c'est un mode utilisé pour effectuer des modifications dans l'état. Cet affichage permet de visualiser le contenu des champs tout en apportant les améliorations souhaitées. Contrairement au mode Rapport ou Aperçu avant impression, vous ne visualisez pas tous les éléments tels que les sauts de page. C'est un mode très pratique.

- Mode Création : c'est le deuxième mode utilisé pour créer ou modifier la présentation de l'état. Comme pour les formulaires, tous les éléments composant un état s'appellent des contrôles. Tout comme en mode Page, vous pouvez en ajouter de nouveaux, en supprimer, les déplacer ou les redimensionner. Certaines manipulations sont plus simples à réaliser en mode Création qu'en mode Page, telles que la modification de la propriété *Source contrôle* ou encore l'ajout de certains contrôles.

- Aperçu avant impression : c'est le mode qui vous permet de visualiser le résultat exactement tel qu'il sera imprimé avec la possibilité d'utiliser les fonctionnalités du zoom ou encore de visualiser toutes les colonnes d'un état, s'il en comporte plus d'une.

Pour naviguer entre ces quatre modes d'affichage, utilisez la barre située en bas à droite de l'écran dans la barre d'état.

Si vous êtes en mode Aperçu avant impression, pour quitter ce mode, cliquez sur le contrôle **Fermer l'aperçu avant impression** du groupe *Fermer l'aperçu*. Dans ce cas, vous revenez directement sur le mode précédemment sélectionné.

Pour basculer d'un mode à l'autre entre les quatre modes d'affichage :

- Cliquez directement sur l'outil **Affichage** si l'icône correspond au mode d'affichage souhaité.
- Ou cliquez sur le bouton fléché situé immédiatement à droite de l'outil **Affichage**, puis sélectionnez dans la liste le mode souhaité.

Enregistrer un état

Après la création de la structure de l'état, vous devez le sauvegarder, comme les autres objets. Procédez ainsi :

1. Cliquez sur l'outil **Enregistrer** de la barre d'outils *Accès rapide*.

Si l'état a déjà été enregistré une fois (il est déjà nommé), les modifications sont automatiquement prises en compte, sans autre demande particulière.

2. En revanche, si vous enregistrez l'état pour la première fois, la boîte de dialogue **Enregistrer sous** s'affiche. Acceptez le nom proposé par Access ou saisissez-en un nouveau, puis cliquez sur le bouton OK. Nommez l'état précédemment créé *E_ListeAuteurs*.

> **Nom d'un état**
> N'oubliez pas de faire précéder le nom de l'état des caractères "E_".

Fermer un état

1. Positionnez-vous dans l'état à fermer.

2. Cliquez sur la case *Fermer* de l'onglet de document actif.

Si aucune modification de structure n'a été apportée à l'état, celui-ci est fermé.

En revanche, si des modifications sur la structure de l'état ont été effectuées, un message demandant de confirmer ces changements apparaît. À vous de choisir si vous acceptez ces transformations.

Fermez l'état *E_ListeAuteurs* et acceptez les changements éventuels.

Renommer un état

Vous allez renommer l'état *E_ListeAuteurs* en *E_Auteurs*. Pour cela :

1. Assurez-vous que l'état est fermé.

2. Dans le volet de navigation, cliquez du bouton droit sur l'état à renommer. Choisissez l'état *E_ListeAuteurs*.

3. Dans le menu contextuel, sélectionnez la commande **Renommer**.

Le nom de l'état apparaît en surbrillance, encadré d'une bordure bleue.

4. Saisissez directement le nouveau nom : E_Auteurs.

5. Validez en appuyant sur la touche [Entrée] de votre clavier.

Ouvrir un état pour le modifier

Tant que vous serez dans la phase de conception de votre application, vous aurez souvent besoin de modifier la structure des différents états. Aussi, vous devrez obligatoirement ouvrir l'état en mode Création ou mode Page. Ce sont les seuls modes disponibles pour effectuer les modifications. Procédez ainsi :

1. Dans le volet de navigation, déroulez le groupe *Etats*.

2. Faites un clic droit sur l'état à ouvrir.

3. Pour ouvrir l'état :

– En mode Création, activez la commande **Mode Création** du menu contextuel.

– En mode Page, activez la commande **Mode Page** du menu contextuel.

Ouvrir un état en mode Rapport

Afin de visualiser un état déjà créé tel qu'il sera imprimé ou presque :

1. Dans le volet de navigation, déroulez le groupe *Etats*.

2. Double-cliquez sur l'état souhaité, par exemple *E_Auteurs*.

Utiliser les options du zoom

La fonction *Zoom* permet d'adapter la taille de l'état dans l'écran aux dimensions souhaitées par l'utilisateur. Cette taille s'exprime en pourcentage de la taille initiale.

Cette fonction s'utilise en mode Aperçu avant impression. Voici les possibilités offertes par Access :

- Si vous souhaitez visualiser la totalité de la page d'un état, placez votre pointeur n'importe où dans la page. Ce pointeur prend la forme d'une loupe contenant le signe -. Cliquez ; la page apparaît dans son ensemble.

- Pourvisualiser de plus près une partie de l'état, positionnez le pointeur sur la partie à zoomer. Le pointeur prend maintenant la forme d'une loupe contenant le signe +. Cliquez.

- Vous pouvez aussi visionner plusieurs pages à l'écran en utilisant les outils suivants :

Icône	Signification
	Outil **Une page**, il affiche une seule page à l'écran
	Outil **Deux pages**, il affiche deux pages à l'écran
	Outil **Afficher plusieurs pages**, il affiche de quatre à douze pages simultanément à l'écran

Tab. 5.1 : Liste des outils permettant l'affichage d'une ou plusieurs pages d'un état

- Enfin, vous pouvez définir vous-même le pourcentage à appliquer. Dans la barre d'état, cliquez dans la barre de zoom. Glissez le curseur vers la droite pour effectuer un zoom avant ou vers la gauche pour effectuer un zoom arrière. Vous pouvez également utiliser les symboles + et - pour affiner le pourcentage du zoom.

◄ Figure 5.1 :
Utilisation de la barre de zoom

Se déplacer entre les différentes pages d'un état

Pour vous déplacer rapidement de page en page, utilisez la barre de déplacement située en bas à gauche de l'état. Cette barre fonctionne de la même façon que la barre de déplacement entre enregistrements dans un formulaire.

Modifier la mise en page

Avant d'imprimer un état, pensez à vérifier et à modifier le cas échéant la mise en page. Cela concerne les marges, l'orientation, le multicolonnage, etc., de l'état. Les options de mise en page sont accessibles dans l'onglet **Mise en page** en mode Création ou en mode Page.

 Pour accéder à l'ensemble des options proposées par Access, cliquez sur le contrôle **Mise en page** du groupe *Mise en page*.

La boîte de dialogue **Mise en page** s'ouvre et propose trois onglets :

■ **Options d'impression** : vous permet de modifier la dimension des marges. Faites attention, les mesures sont exprimées en millimètres et non en centimètres, comme vous en avez souvent l'habitude.

Si vous cochez l'option *Données seulement*, seules les informations variables s'imprimeront. Cette option est intéressante lorsque vous imprimez sur des formulaires préimprimés où les intitulés figurent déjà.

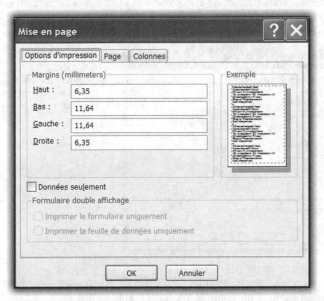

▲ Figure 5.2 : *Boîte de dialogue Mise en page, onglet Options d'impression*

■ **Page** : c'est dans cet onglet que vous pouvez modifier l'orientation, la taille du papier ou choisir une autre imprimante.

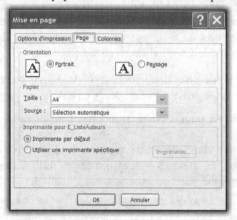

◄ Figure 5.3 :
Boîte de dialogue Mise en page, onglet Page

■ **Colonnes** : vous permet de concevoir des états multicolonnes. Toutes les options nécessaires à la configuration d'un tel état se trouvent dans cet onglet.

◄ Figure 5.4 :
Boîte de dialogue Mise en page, onglet Colonnes

Comme vous avez pu le constater, quelques-unes des options décrites ci-dessus disposent d'un contrôle raccourci dans le Ruban.

Définir des options d'impression

Avant d'imprimer un état, vérifiez non seulement la mise en page du document mais aussi les options de l'imprimante utilisée, les pages à imprimer ou le nombre de copies à réaliser.

Pour définir des options d'impression, procédez ainsi :

1. Cliquez sur le bouton **Office**.

2. Activez la commande **Imprimer**. La boîte de dialogue **Imprimer** apparaît.

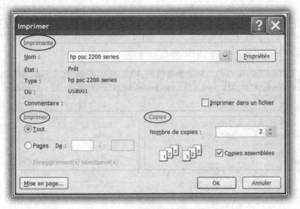

▲ Figure 5.5 : *Description de la boîte de dialogue Imprimer*

Décrivons les éléments de cette boîte de dialogue :

■ Rubrique *Imprimante* : choisissez l'imprimante à utiliser. En principe, vous ne devez pas avoir à changer très souvent.

■ Rubrique *Imprimer* : trois choix vous sont offerts.

– *Tout* : toutes les pages de l'état sont imprimées.

– *Pages de... à...* : seules certaines pages de l'état sont imprimées. Indiquez le numéro de la première page à imprimer dans la rubrique *De* et le numéro de la dernière page à imprimer dans la rubrique *A*. Malheureusement, vous ne pourrez imprimer des pages qui ne se suivent pas (impossible d'imprimer les pages 5, 10 et 15, comme vous avez peut-être l'habitude de le faire dans Word).

■ Enregistrement(s) sélectionné(s) : cette option permet d'imprimer uniquement les enregistrements sélectionnés dans une feuille de données ou un formulaire, lorsque vous imprimez une table, une requête ou un formulaire. Elle est grisée pour l'impression d'un état.

■ Rubrique *Copies* :

   – Sous-rubrique *Nombre de copies* : c'est le nombre de documents identiques que vous désirez imprimer. Cela vous évite de faire des photocopies ensuite.

   – Sous-rubrique *Copies assemblées* : généralement, cette case à cocher n'est pas disponible. Elle le devient lorsque vous imprimez plus d'une copie du document.

Tab. 5.2 : Choisir entre copies assemblées ou non

Image	Signification
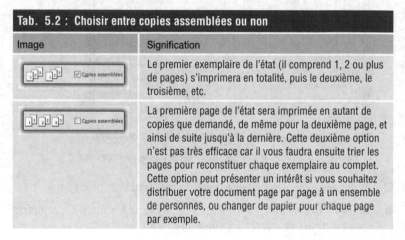 ☑ Copies assemblées	Le premier exemplaire de l'état (il comprend 1, 2 ou plus de pages) s'imprimera en totalité, puis le deuxième, le troisième, etc.
☐ Copies assemblées	La première page de l'état sera imprimée en autant de copies que demandé, de même pour la deuxième page, et ainsi de suite jusqu'à la dernière. Cette deuxième option n'est pas très efficace car il vous faudra ensuite trier les pages pour reconstituer chaque exemplaire au complet. Cette option peut présenter un intérêt si vous souhaitez distribuer votre document page par page à un ensemble de personnes, ou changer de papier pour chaque page par exemple.

■ Bouton **Propriétés** : utile pour modifier la qualité d'impression, le type de papier utilisé, etc. Le contenu de la boîte de dialogue qui s'affiche est fonction de l'imprimante que vous possédez.

■ Bouton **Mise en page** : un clic sur ce bouton fait apparaître la boîte de dialogue **Mise en page**, restreinte aux deux onglets **Options d'impression** et **Colonnes**.

Si la boîte de dialogue **Imprimer** est toujours ouverte, cliquez sur le bouton **Annuler** pour la fermer ou passez à la section suivante.

Imprimer un état

Une fois tous les contrôles de mise en page et d'options d'impression définis, il vous reste à imprimer l'état. Pour cela, diverses solutions sont disponibles. Nous n'en citerons qu'une seule, l'objectif dans cette section n'étant pas de recenser toutes les possibilités d'impression offertes par Access. Procédez ainsi :

1. Dans le volet de navigation, cliquez du bouton droit sur l'état à imprimer.

2. Activez la commande **Imprimer**. L'impression se réalise immédiatement.

Créer un état à l'aide de l'Assistant État

Contrairement à l'outil **État**, l'Assistant État propose des choix (en matière de présentation, de champs à inclure, etc.) dans la conception de l'état. C'est la méthode que nous préconiserons désormais, la création d'un état en instantané présentant des options trop restrictives.

Vous allez créer un état présentant la liste des médias que vous possédez et dont les champs affichés seront le titre du média, son support, son auteur, son éditeur, sa date et son prix d'achat. Procédez ainsi :

1. Sélectionnez l'onglet **Créer**.

2. Dans le groupe *Etats*, cliquez sur le contrôle **Assistant Etat**.

3. Sélectionnez d'abord la table *T_Medias* puis ajoutez successivement, par un double-clic, les champs *TitreMedia*, *DateAchat* et *PrixAchat*. Sélectionnez ensuite la table *T_Supports* et double-cliquez sur le champ *IntituleSupport*. Puis sélectionnez la table *T_Auteurs* et double-cliquez sur le champ *NomAuteur*. Enfin, sélectionnez la table *T_Editeurs* et double-cliquez sur le champ *NomEditeur*. Cliquez sur le bouton **Suivant**.

▲ Figure 5.6 : *Choix des tables et des champs à insérer*

4. La deuxième étape permet de définir un premier niveau de regroupement. Vous n'allez pas pour le moment effectuer de regroupement, cliquez donc sur le bouton **Suivant**.

5. La troisième étape permet de définir de nouveau un ou plusieurs niveaux de regroupement. Vous étudierez les regroupements en page 281. Par conséquent, cliquez sur le bouton **Suivant**.

6. Définissez un ordre de tri croissant sur le champ *TitreMedia*. Cliquez sur le bouton **Suivant**.

L'étape suivante permet de définir la présentation de l'état.

7. Acceptez la présentation *Tabulaire*. Cliquez sur le bouton **Suivant**.

L'étape suivante vous demande de choisir un style à appliquer à l'état. Cela concerne la présentation des données et leur disposition.

8. Sélectionnez le style qui vous convient. Cliquez sur le bouton **Suivant**.

9. Dans la dernière étape, saisissez le nom de l'état : E_MediasAuteursEditeurs. Cliquez sur le bouton **Terminer**.

L'état apparaît en mode Aperçu avant impression. Il reste quelques améliorations à apporter, mais l'ensemble est déjà très satisfaisant.

10. Fermez cet état.

Supprimer un état

Quand un état ne correspond plus à vos attentes, il convient de le supprimer afin de ne pas alourdir la base de données d'objets inutiles. Vous allez supprimer l'état *E_Auteurs* qui n'a finalement aucune utilité. Pour cela :

1. Assurez-vous que l'état à supprimer est bien fermé.

2. Dans le volet de navigation, affichez la liste des états.

3. Cliquez sur l'état à supprimer (pour notre exemple, *E_Auteurs*) afin de le sélectionner.

4. Appuyez sur la touche (Suppr) de votre clavier ou activez la commande **Supprimer** du menu contextuel (clic droit sur l'état à supprimer).

5. Dans la boîte de dialogue affichée, cliquez sur le bouton **Oui** si vous souhaitez réellement supprimer l'état ou sur le bouton **Non** si vous décidez d'annuler votre action. Dans le cas présent, cliquez sur le bouton **Oui**.

Microsoft Office Access

Voulez-vous supprimer de manière permanente le composant État « E_ListeAuteurs » ?

Cliquez sur Oui pour le supprimer. Vous ne pourrez plus annuler vos changements.

Oui   Non

▲ Figure 5.7 : *Confirmation de suppression d'un état*

5.2   Personnaliser un état

Les différentes possibilités de personnalisation

La personnalisation des états a beaucoup de points communs avec la personnalisation des formulaires. Vous retrouverez de nombreuses propriétés déjà identifiées dans les formulaires (en complément de cette section, reportez-vous à la page 175). Cette personnalisation peut porter sur :

- La source d'enregistrement : elle correspond aux tables ou requêtes sur lesquelles l'état est construit.

- Les sections : vous pouvez ajouter, modifier, supprimer ou simplement redimensionner les différentes sections qui composent l'état.

- Les contrôles : vous pouvez redimensionner, déplacer, ajouter, supprimer ou modifier les propriétés des contrôles à l'aide des outils de mise en forme comme dans les formulaires. Il est également possible d'ajouter des contrôles calculés.

- Les tris et regroupements de données.

- Les propriétés générales liées à l'état comme la modification de la légende lors de l'affichage de l'état, l'affichage dans une fenêtre indépendante ou modale, l'affichage des boutons **Fermer**, **Min-Max**, etc.

Rappelons que pour afficher les propriétés d'un état il vous suffit de double-cliquer sur le sélecteur d'état placé en haut à gauche de la fenêtre.

Comprendre et modifier les différentes sections d'un état

Un état en mode Création ressemble beaucoup à un formulaire. Il est également divisé en plusieurs sections. Chaque section est précédée d'une barre de titre contenant son nom.

- La section *En-tête d'état* : elle est imprimée uniquement en haut de la première page d'un rapport. Elle contient le titre de l'état et éventuellement quelques contrôles graphiques (trait, rectangle ou image).

- La section *En-tête de page* : son contenu est imprimé en haut de chaque page du document, y compris sur la première page.

- La section *Détail* : elle contient les champs sélectionnés lors de la création de l'état. Bien entendu, il est possible, en fonction de la situation, de positionner certains champs dans une autre section.

- La section *Pied de page* : elle est imprimée en bas de chaque page du rapport, y compris en bas de la dernière page. Elle peut contenir le numéro de page, la date du jour et éventuellement quelques éléments graphiques.

- La section *Pied d'état* : son contenu est imprimé uniquement sur la dernière page du rapport. Elle contient souvent des champs calculés tels que des totaux.

À ces sections, toutes facultatives à part la section *Détail*, peuvent s'ajouter des sections *En-tête de groupe* et *Pied de groupe*. Ces dernières apparaissent lorsque vous créez des états de regroupement (point traité en page 281). Chaque groupe créé dispose d'une section *En-tête de groupe* et d'une section *Pied de groupe*.

Sélectionner une section

Cliquez sur son nom ou à l'intérieur de cette section.

Afficher ou masquer une section (autre que la section Détail)

- Pour la section *En-tête et Pied de page*, dans l'onglet **Réorganiser**, cliquez sur le contrôle **En-tête et pied de page** du groupe *Afficher/Masquer*.

- Pour la section *En-tête et Pied d'état*, dans l'onglet **Réorganiser**, cliquez sur le contrôle **En-tête/pied de rapport** du groupe *Afficher/Masquer*.

Insérer un numéro de page

En principe, lorsque vous utilisez les assistants pour élaborer des états, les numéros de page sont automatiquement insérés.

1. Ouvrez l'état *E_MediasAuteursEditeurs* en mode Création. Commencez par modifier le titre en *Liste des médias possédés* et centrez-le.

2. Sélectionnez le champ contenant déjà le numéro de page et supprimez-le.

3. Positionnez-vous dans n'importe quelle section de l'état.

4. Sélectionnez l'onglet contextuel **Créer** sous l'onglet **Outils de création de rapport**.

5. Dans le groupe *Contrôles*, cliquez sur le contrôle **Insérer un numéro de page**.

   La boîte de dialogue **Numéros de page** s'ouvre.

6. Cochez successivement les options *Page N sur M* et *Bas de page [Pied de page]* et sélectionnez un alignement à *Droite*. Cliquez sur le bouton OK.

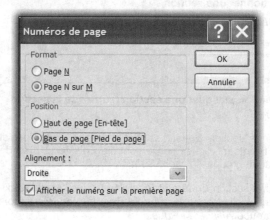

◄ Figure 5.8 :
Boîte de dialogue Numéros de page

Décrivons les éléments de cette boîte de dialogue :

– Dans la rubrique *Format* :

  ■ *Page N* insère le numéro de la page en cours précédé de la mention "Page". Vous verrez par exemple : Page 1, Page 2, etc.

- *Page N sur M* insère le numéro de la page en cours et le nombre total de pages dans le rapport précédés de la mention "Page" selon le modèle suivant : Page 1 sur 10, Page 4 sur 10.

– Dans la rubrique *Position* :

- *Haut de page [En-tête]* signifie que la numérotation sera insérée dans l'en-tête de page du rapport.

- *Bas de page [Pied de page]* signifie que la numérotation sera insérée dans le pied de page du rapport.

   En principe, une numérotation se positionne plutôt en pied de page.

– Dans la rubrique *Alignement*, choisissez l'option qui vous convient (*Gauche*, *Centrer*, *Droite*, etc.). Vous pourrez toujours changer l'alignement par la suite car la numérotation insérée est un champ calculé.

– Dans la rubrique *Afficher le numéro sur la première page*, cochez ou décochez cette case selon que vous souhaitez voir apparaître ou non le numéro dans la première page du rapport. Si la première page sert de couverture, elle n'est pas numérotée.

7. Cliquez sur le bouton OK.

Il reste à présenter ce contrôle de façon plus esthétique.

Insérer la date et l'heure du jour

De même que pour la numérotation des pages, lorsque vous utilisez les assistants pour élaborer des états, la date et l'heure sont automatiquement insérées. Procédez ainsi :

1. Ouvrez l'état *E_MediasAuteursEditeurs* en mode Création, à moins qu'il ne soit déjà ouvert. Sélectionnez le champ contenant la date et supprimez-le.

2. Positionnez-vous dans n'importe quelle section de l'état.

3. Sélectionnez l'onglet contextuel **Créer** sous l'onglet **Outils de création de rapport**.

4.  Dans le groupe *Contrôles*, cliquez sur le contrôle **Date et heure**.

5. Laissez la case *Inclure la date* cochée et l'option *Date* sous sa forme complète. En revanche, décochez la case *Inclure l'heure*. Cliquez sur le bouton OK.

◄ Figure 5.9 :
Boîte de dialogue Date et heure

La date est insérée automatiquement dans la section *En-tête d'état*.

- Si cette section n'est pas affichée, la date est ajoutée dans la section *Détail*.
- Si l'emplacement ne vous convient pas, vous pouvez déplacer ce contrôle à l'endroit désiré. Déplacez le contrôle dans la section *Pied de page*, à l'endroit où vous l'aviez supprimé.

Insérer un saut de page

Lorsque vous éditez un rapport, il est appréciable de créer une couverture en première page. Vous allez utiliser l'en-tête d'état pour réaliser cela. Procédez ainsi :

1. Ouvrez l'état *E_MediasAuteursEditeurs* en mode Création, à moins qu'il ne soit déjà ouvert.

2. Agrandissez la section *En-tête d'état* de façon qu'elle ait la dimension d'une feuille A4.

3. Positionnez manuellement le titre au centre de cette feuille (centrage vertical et horizontal).

4. Sélectionnez l'onglet contextuel **Créer** sous l'onglet **Outils de création de rapport**.

5. Dans le groupe *Contrôles*, cliquez sur le contrôle **Insérer ou supprimer le saut de page**. Le pointeur se transforme en une page blanche accompagnée du signe +.

6. Cliquez en bas à gauche de la section *En-tête d'état*. Le saut de page est représenté par trois points.

◄ Figure 5.10 :
Positionnement d'un saut de page

7. Passez en mode Aperçu avant impression pour visualiser le résultat.

8. Sauvegardez et fermez l'état.

Trier des données

Dans un état comme dans tous les autres objets, le tri s'effectue en priorité sur le champ clé primaire. Ce tri peut être modifié lorsque vous utilisez l'assistant. Souvenez-vous, une étape était réservée au choix du champ sur lequel effectuer le tri. Une fois l'état terminé, vous avez encore la possibilité de modifier les tris existants. Procédez ainsi :

1. Ouvrez l'état *E_MediasAuteursEditeurs* en mode Création.

2. Sélectionnez l'onglet contextuel **Créer** sous l'onglet **Outils de création de rapport**.

3. Dans le groupe *Regroupement et totaux*, cliquez sur le contrôle **Regrouper et trier**.

Le volet **Regrouper, trier et total** s'affiche, dans lequel un champ est déjà désigné comme clé de tri (c'est le champ *TitreMedia* pour notre exemple).

▲ Figure 5.11 : *Volet affichant le tri appliqué*

Ajoutons trois informations sur ce volet :

- La ligne *Trier par* accepte que le tri s'effectue soit sur un champ de la table ou de la requête source, soit sur une expression. En effet, vous pouvez mettre en place une expression qui doit toujours être précédée du signe =. Dans cet apprentissage, vous vous limiterez à ne choisir que des champs.

- Vous pouvez définir jusqu'à dix niveaux de tri.

- L'ordre de tri détermine si les données du champ sélectionné doivent être triées en ordre croissant ou décroissant. Par défaut, c'est toujours l'option *Croissant* qui est sélectionnée. Les termes Croissant ou Décroissant prennent un libellé différent selon le type de données triées. Par exemple, pour un champ de type *Texte*, le libellé sera *Avec A en haut* pour croissant, *Avec Z en haut* pour décroissant. Le choix du type de tri est modifiable. Il suffit de dérouler la liste à droite de l'inscription *Croissant* et de choisir l'option contraire. Les tris s'effectuent dans l'ordre d'apparition des champs, c'est-à-dire du haut vers le bas.

Vous n'avez pas à valider ces modifications. Elles se réalisent dès que vous sélectionnez le champ et l'ordre de tri.

Ajouter un tri

Pour ajouter une nouvelle ligne de tri :

1. Cliquez sur le contrôle **Ajouter un tri**.

2. Dans la liste proposée, sélectionnez le champ sur lequel réaliser un tri. Par exemple, choisissez le champ *DateAchat*.

3. Ajoutez une nouvelle ligne de tri sur le champ *NomAuteur*.

Modifier le champ affecté à un tri

Si le champ choisi dans une ligne de tri ne correspond plus à votre besoin, vous pouvez changer le nom du champ sur lequel effectuer le tri.

 Déroulez la liste située à droite du champ en place, puis sélectionnez un autre champ.

Déplacer un tri

Pour déplacer une ligne de tri afin de modifier l'ordre de tri souhaité :

1. Sélectionnez la ligne de tri à déplacer.

2. Effectuez une des deux manipulations suivantes en fonction de votre souhait :

– Pour déplacer la ligne de tri vers le haut, cliquez sur le bouton **Monter** (flèche bleue pointe vers le haut).

– Pour déplacer la ligne de tri vers le bas, cliquez sur le bouton **Descendre** (flèche bleue pointe vers le bas).

Supprimer une ligne de tri

Pour supprimer un ordre de tri, cliquez sur le bouton **Supprimer** à l'extrême droite de la ligne de tri.

5.3   Créer des états de synthèse

Créer un état de regroupement

Un état de regroupement permet d'afficher des données réunies par catégories. Par exemple, vous allez créer un état qui affichera tous les médias classés par support et par genre.

Il existe deux possibilités pour créer un état de regroupement. Soit vous vous laissez assister, soit vous les créez vous-même. La deuxième possibilité est plus souple mais nécessite de maîtriser les groupes. En fait, il est souvent intéressant d'opter pour une troisième solution qui consiste à combiner les deux premières. Dans un premier temps, vous utilisez l'assistant, puis vous apportez les modifications manuellement.

Par conséquent, vous allez adopter cette dernière solution pour réaliser votre état. Procédez ainsi :

1. Sélectionnez l'onglet **Créer**.

2. Dans le groupe *Etats*, cliquez sur le contrôle **Assistant Etat**.

3. Sélectionnez la table *T_Supports* et ajoutez le champ *IntituleSupport*. Sélectionnez la table *T_Genres* et ajoutez le champ *LibelleGenre*. Enfin, sélectionnez la table *T_Medias* et ajoutez les champs *TitreMedia*, *DateAchat* et *PrixAchat*. Cliquez sur le bouton **Suivant**.

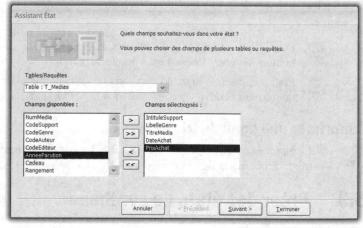

▲ Figure 5.12 : *Choix des tables et des champs à insérer*

4. Dans la fenêtre suivante, acceptez le regroupement proposé sur le support. Cliquez sur le bouton **Suivant**.

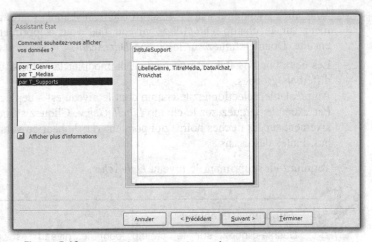

▲ Figure 5.13 : *Choix du premier niveau de regroupement*

5. Choisissez successivement les champs sur lesquels les regroupements porteront. Vous souhaitez appliquer un deuxième niveau de regroupement sur le libellé du genre. Double-cliquez sur le champ *LibelleGenre* dans le cadre rectangulaire de gauche. Le champ est alors placé sous le champ *IntituleSupport*. Il symbolise le deuxième niveau de regroupement. Cliquez sur le bouton **Suivant**.

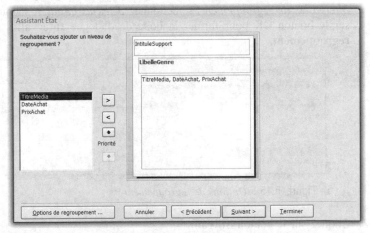

▲ Figure 5.14 : *Choix du deuxième niveau de regroupement*

– Vous allez volontairement créer un troisième niveau de regroupement sur le champ *DateAchat*, niveau que vous supprimerez ensuite. Double-cliquez sur le champ *DateAchat*.

– Les deux boutons **Priorité** permettent de modifier la position des différents groupes.
Au préalable, sélectionnez le champ dont le niveau est à déplacer. Par exemple, cliquez sur le champ *LibelleGenre*. Cliquez successivement sur les flèches noires qui pointent vers le haut ou vers le bas. Faites des essais.

– Terminez en supprimant le niveau *DateAchat*.

astuce

Supprimer un niveau

Double-cliquez sur le champ dont le niveau est à supprimer.

– Le bouton **Options de regroupement** permet de limiter le nombre de caractères à visualiser. Soyons concret. Sur le deuxième niveau, vous souhaitez effectuer un tri alphabétique sur les trois premières lettres du libellé des genres.

6. Cliquez sur le bouton **Options de regroupement**. Dans la rubrique *Intervalles de regroupement*, sélectionnez *3 lettres initiales*. Cliquez sur le bouton OK pour fermer la boîte de dialogue **Intervalles de regroupement**.

▲ Figure 5.15 : *Options de regroupement*

7. Cliquez sur le bouton **Suivant**.

Le plus dur est fait. La suite, vous la connaissez déjà.

8. Choisissez un tri sur le champ *TitreMedia*. Cliquez sur le bouton **Suivant**.

9. Conservez *Echelonné* comme option de présentation des données. Cliquez sur les autres options pour afficher un aperçu. Cliquez sur le bouton **Suivant**.

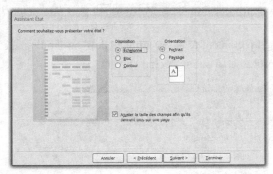

◄ Figure 5.16 :
Cinquième étape : choix de la présentation des données

10. Sélectionnez le style qui vous convient et cliquez sur le bouton **Suivant**.

11. Modifiez le nom de l'état en *E_MediasParSupportEtGenre*. Cliquez sur le bouton **Terminer**.

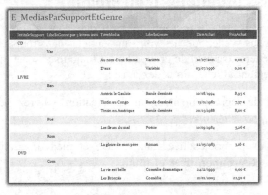

◄ Figure 5.17 :
Extrait d'un état de regroupement

12. Basculez en mode Création. De nouvelles sections sont présentes. Pour chaque niveau, un en-tête de groupe est apparu. Nous reviendrons sur ces nouvelles sections dans la suite.

13. Afin de rendre votre état plus attractif, apportez quelques améliorations à sa présentation :

- Modifiez le titre en *Liste des médias classés* (saut de paragraphe dans l'étiquette avec les touches [Ctrl]+[Entrée]) puis *Par support et par genre*.

- Renommez correctement tous les intitulés de l'en-tête de page.

- Modifiez l'ordre de tri selon l'écran suivant.

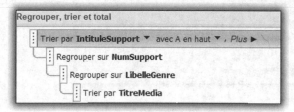

▲ Figure 5.18 : *Ordre de tri de l'état E_MediasParSupportEtGenre*

- Modifiez la présentation de l'état et fermez-le.

Comprendre les propriétés d'un groupe

Lorsque vous créez un état de regroupement ou que vous ajoutez un nouveau niveau, vous venez de le voir, un en-tête de groupe est automatiquement généré. Un pied de groupe lui est toujours associé mais n'est pas nécessairement affiché. Procédez ainsi :

1. Ouvrez un état de regroupement en mode Création. Ouvrez l'état *E_MediasParSupportEtGenre*.

2. Pour modifier les propriétés liées aux en-tête et pied de groupe, affichez le volet **Regrouper, trier et total**.

Les champs jouant le rôle de niveau de regroupement sont précédés du libellé *Regrouper sur*. Les propriétés de ces groupes sont modifiables en cliquant sur le contrôle **Plus** dans la ligne de regroupement du champ souhaité.

Description des principales propriétés de groupe :

– *Avec une section d'en-tête* ou *sans section d'en-tête* : cette propriété affiche ou masque l'en-tête du niveau. Lorsque vous masquez cette section, Access supprime tous les contrôles présents dans celle-ci. C'est pourquoi, avant de masquer un en-tête ou un pied de groupe, vérifiez que vous êtes d'accord avec les suppressions engendrées.

– *Avec une section de pied de page* ou *sans section de pied de page* : cette propriété permet d'afficher ou de masquer le pied de groupe du niveau considéré. Un pied de groupe sert essentiellement à insérer des champs calculés afin de réaliser des totaux, des moyennes ou autres calculs synthétiques sur le niveau en question.

– Une troisième propriété sert à indiquer :

   ■ Si un groupe doit apparaître en totalité sur la même page, c'est la propriété *Faire tenir tout le groupe sur une page*.

   ■ Si un groupe doit apparaître en partie sur une page et le reste sur une ou plusieurs autres pages, si nécessaire, c'est la propriété *Faire tenir l'en-tête et le premier enregistrement sur une page*. Elle assure que l'en-tête ne se retrouvera pas seul en bas de page.

   ■ Si les groupes peuvent être fractionnés, c'est la propriété par défaut *Ne pas faire tenir le groupe sur une page*.

3. Cliquez sur le contrôle **Moins** pour cacher les propriétés des lignes de tri ou de regroupement.

4. Fermez le volet **Regrouper, trier et total**.

Les modifications sont automatiquement prises en compte.

5. Sauvegardez la structure de l'état avant de le fermer ou au moment de le fermer.

Champ différent à la construction et au résultat final

Le niveau de regroupement du support de média était basé sur le champ *NumSupport* alors que vous aviez choisi, lors de la création assistée, le champ *IntituleSupport*. En effet, quand il le peut et surtout lors de l'utilisation de l'assistant, Access base les niveaux sur les champs clé primaire. C'est un moyen de s'assurer de l'unicité de l'enregistrement.

Supprimer un niveau de regroupement

Vous allez supprimer manuellement le niveau basé sur le libellé du genre. Pour cela :

1. Ouvrez un état en mode Création. Choisissez l'état *E_MediasParSupportEtGenre* si nécessaire.

2. Affichez le volet **Regrouper, trier et total**.

3. Cliquez sur le bouton **Supprimer** à l'extrême droite de la ligne de regroupement. Supprimez la ligne de regroupement associée au champ *LibelleGenre*.

Une boîte de dialogue vous demande confirmation de votre action. Cette opération supprime une section complète et, par conséquent, tous les contrôles qui lui sont associés. Acceptez la suppression en cliquant sur le bouton **Oui**. Ne confirmez pas en appuyant sur la touche [Entrée] du clavier car c'est le bouton **Non** qui est activé par défaut. Cela provoquerait l'annulation de l'action.

4. Fermez l'état et enregistrez, si besoin, les modifications effectuées.

Insérer un niveau de regroupement

Vous allez insérer de nouveau un niveau de regroupement sur le champ *LibelleGenre*. Pour cela :

1. Ouvrez l'état en mode Création. Choisissez l'état *E_MediasParSupportEtGenre* si nécessaire.

Pour ajouter un en-tête et/ou un pied de groupe :

2. Affichez le volet **Regrouper, trier et total**.

3. [⁞≡ Ajouter un groupe] Cliquez sur le contrôle **Ajouter un groupe**. Sous la ligne *Trier par TitreMedia*, ajoutez une ligne de regroupement sur le champ *LibelleGenre*.

4. Déplacez le niveau *LibelleGenre* au-dessus de la ligne de tri du champ *TitreMedia*. Fermez le volet **Regrouper, trier et total**.

5. Déplacez le contrôle *LibelleGenre* de la section *Détail* dans la section *En-tête de groupe LibelleGenre*. Supprimez l'étiquette *LibelleGenre*, devenue inutile, dans la section *En-tête de page*.

6. Fermez l'état et enregistrez les modifications effectuées.

Insérer des champs (ou contrôles) calculés

Les champs calculés sont utiles pour réaliser des cumuls au sein d'un niveau de regroupement ou tout type d'opération simple ou avancée.

Les contrôles calculés dans les états s'élaborent comme les contrôles calculés dans les formulaires. La différence avec les formulaires, c'est qu'il faut choisir dans quelle section vous ajoutez ces calculs. Attention toutefois, vous ne pouvez pas ajouter de contrôles calculés dans un en-tête de page et un pied de page. On peut tout de même y insérer le numéro de page et la date.

Un contrôle calculé nécessite l'ajout d'un contrôle zone de texte. Ensuite, vous saisissez l'expression dans ce contrôle (reportez-vous à la page 197).

Les fonctions les plus utilisées sont *Somme*, *Moyenne* et *Compte*.

Pour utiliser la fonction *Compte*, dans l'état *E_MediasParSupportEtGenre*, vous ajouterez un champ totalisant le nombre de médias par support. Pour cela :

1. Ouvrez un état simple ou un état de regroupement en mode Création. Choisissez l'état *E_MediasParSupportEtGenre*.

2. Assurez-vous que la section dans laquelle vous désirez créer le contrôle est affichée. Dans la ligne de regroupement du champ *NumSupport*, ajoutez la propriété *Avec une section de pied de page* de manière à faire apparaître la section *Pied de groupe NumSupport*.

3. Dans la section *Pied de groupe NumSupport*, créez une zone de texte.

4. Dans ce contrôle, saisissez la formule =Compte([TitreMedia]) (n'omettez pas les crochets, même si en principe ils s'insèrent automatiquement), puis appuyez sur la touche (Entrée) pour valider l'expression. N'oubliez pas que la fonction *Compte* effectue des comptages sur les champs de type *Texte* ou *Numérique*.

5. Procédez à quelques manipulations de mise en forme de la section (agrandissement ou réduction de la section, déplacement du contrôle à un endroit adapté, etc.).

6. Lancez l'état en mode Aperçu avant impression pour constater le résultat.

7. Sauvegardez et fermez l'état.

> **astuce**
>
> **Créer rapidement un total dans un groupe**
>
> La méthode étudiée ci-dessus est applicable dans tous les cas et pour tous les types de fonctions. Néanmoins, si vous souhaitez réaliser un comptage ou une somme plus rapidement, utilisez le volet **Regrouper, trier et total**.
>
> **1.** Ouvrez un état en mode Création.
>
> **2.** Dans le volet **Regrouper, trier et total**, déroulez la propriété *Sans totaux*. Cochez les cases souhaitées. La fonction mise en place dépend du type de données du champ traité. Si le champ est de type *Numérique*, Access insère la fonction *Somme*. Si le champ est de type *Texte*, Access insère la fonction *Compte*.
>
> Notez que si les sections *En-tête* ou *Pied de groupe* ne sont pas créées, le fait de cocher les cases *Afficher dans l'en-tête de groupe* et/ou *Afficher dans le pied de groupe* provoque l'ajout de ces sections.

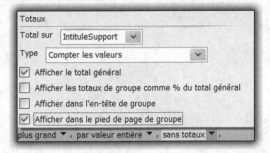

◄ Figure 5.19 :
*Ajouter un total
dans un groupe*

6

Bref aperçu des macros

Afin de réaliser les exemples de cet apprentissage, la base de données *C06-Médiathèque01.accdb* est nécessaire. Toutes les manipulations de ce chapitre sont sauvegardées dans la base de données *C06-Médiathèque02.accdb*. Aussi, nous vous conseillons de télécharger ces bases de données sur notre site, à l'adresse `www.microapp.com`.

6.1 Intérêt des macros

Une macro permet d'automatiser des actions répétitives. Elle est composée d'une suite d'instructions correspondant chacune à une opération précise. Elle libère ainsi l'utilisateur d'un travail répétitif, devenant fastidieux à la longue.

Voici une liste non exhaustive des actions pouvant être réalisées par l'intermédiaire d'une macro :

- Ouvrir un formulaire, un état, une requête que vous avez besoin d'exécuter régulièrement. Vous pourrez associer un bouton de commande à une macro et exécuter cette macro en cliquant simplement sur le bouton.

- Contrôler la saisie dans un formulaire grâce à la mise en œuvre de formules conditionnelles. Cela minimise encore les risques d'erreurs.

- Affecter des valeurs à des champs.

- Afficher des boîtes de dialogue pour prévenir l'utilisateur d'une fausse manipulation, d'un traitement achevé, etc.

- Trier, rechercher et filtrer rapidement des enregistrements.

- Formater des données lors du lancement d'états en aperçu ou en impression.

- Exporter des données vers d'autres logiciels.

Une macro peut être déclenchée en réponse à un clic sur un bouton de commande, un événement particulier intervenant dans un formulaire ou un état, une saisie, etc.

Access 2007 propose deux types de macros : les macros autonomes et les macros incorporées. Les macros autonomes sont des objets distincts, visibles dans le groupe *Macros* du volet de navigation. Elles peuvent être associées à plusieurs événements. En revanche, les macros incorporées sont associées à un et un seul événement d'un formulaire, d'un état ou d'un contrôle et ne sont pas visibles dans le volet de navigation.

Certaines instructions seront accessibles ou non en fonction de la manière dont est configuré l'affichage des fenêtres des objets, en mode Onglets de document ou Fenêtres superposées. Par exemple, l'action **DéplacerDimensionner** ne sera applicable qu'en mode Fenêtres superposées.

Lorsque vous exécutez une macro, les instructions enregistrées s'exécutent les unes après les autres. Avec de l'entraînement, vous verrez que la mise en place des macros est relativement intuitive.

6.2 Créer et utiliser des macros autonomes

Dans cette section, nous n'aborderons que les macros autonomes. Aussi, le terme macro remplacera désormais implicitement l'expression macro autonome.

Vous allez réaliser plusieurs macros simples :

- Ouvrir un formulaire.
- Afficher un enregistrement précis.
- Appliquer des conditions.
- Afficher une boîte de dialogue.
- Rechercher des enregistrements.

6.3 Créer une macro

Commençons par créer une macro qui ouvre le formulaire *F_Medias*. Procédez ainsi :

1. Ouvrez la base de données *C06-Médiathèque01.accdb*.

2. Dans l'onglet **Créer**, cliquez sur le contrôle **Macro** du groupe *Autre*.

Access affiche le générateur de macros. C'est un document à onglet composé de lignes et de trois colonnes. Comme nous l'avons déjà dit plus haut, une macro est composée d'une suite d'actions. Vous le constatez à présent. Quand vous déroulez la liste des actions, elles apparaissent selon l'ordre alphabétique.

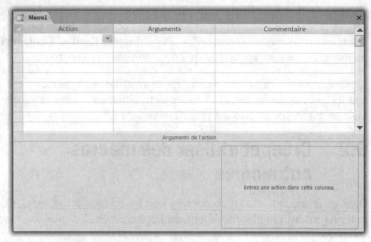

▲ Figure 6.1 : *Fenêtre de création de macros*

Dans la partie supérieure de la fenêtre :

- Dans la colonne *Action*, vous sélectionnerez l'opération à exécuter.
- La colonne *Arguments* mentionne les arguments requis et que vous avez indiqués dans le volet **Arguments de l'action** pour réaliser l'action. Sa vocation est purement informative, vous ne pouvez rien y introduire. Une action requiert très souvent des arguments dont certains sont obligatoires et d'autres facultatifs.

Masquer la colonne Arguments

Si vous ne souhaitez pas visualiser temporairement ou définitivement la colonne *Arguments*, cliquez sur le contrôle **Arguments** du groupe *Afficher/Masquer* afin de masquer cette colonne.

Pour afficher de nouveau la colonne *Arguments*, activez le contrôle **Arguments**.

– Dans la colonne *Commentaire*, vous saisirez une description concernant l'opération à réaliser. Il est fortement recommandé de saisir un commentaire. Cela vous sera utile lorsque vous vous replongerez dans votre application, dans quelques mois.

Dans la partie inférieure de la fenêtre, vous compléterez, au besoin, les paramètres requis par l'action choisie. Dans la partie droite, un commentaire vous indique le rôle de l'action sélectionnée. Gardez un œil de ce côté, c'est fort utile.

3. Déroulez la liste des actions, utilisez la barre de défilement vertical pour sélectionner l'action **OuvrirFormulaire** ou saisissez O pour vous rendre rapidement sur la première fonction commençant par la lettre O. Cette action s'accompagne de six arguments qui ne sont pas tous obligatoires.

4. Appuyez deux fois sur la touche [Tab] ou [Entrée] pour passer dans la colonne *Commentaire*. Dans cette colonne, saisissez Ouverture du formulaire F_Medias.

5. Cliquez dans le premier argument *Nom formulaire*, dans le volet **Arguments de l'action**, partie inférieure de la fenêtre. Détaillons brièvement les six arguments de cette action :

   – *Nom formulaire* : une liste présente tous les formulaires créés dans la base de données en cours. Sélectionnez le formulaire *F_Medias*.

   – *Affichage* : il détermine le mode d'affichage de l'objet formulaire (valable également pour l'action **OuvrirEtat**, **OuvrirRequête** et **OuvrirTable**). Les options proposées correspondent aux modes d'affichage étudiés dans le chapitre *Créer et gérer des formulaires* (en page 164). Sélectionnez le mode Formulaire.

   – *Nom filtre* : il est possible d'indiquer le nom d'une requête afin de limiter les enregistrements selon des critères définis. Pour l'exemple en cours, ne saisissez rien.

   – *Condition Where* : un autre moyen de filtrer les enregistrements souhaités. *Condition Where* est une expression à saisir selon des règles syntaxiques précises. Pour l'exemple, ne saisissez rien.

– *Mode données* : trois options sont proposées : *Ajout* (le formulaire s'ouvre sur un nouvel enregistrement, les autres enregistrements ne sont pas visibles), *Modification* (à l'ouverture du formulaire, tous les enregistrements sont accessibles et modifiables ; on peut également ajouter et supprimer des enregistrements dans ce mode) ou *Lecture seule* (à l'ouverture du formulaire, tous les enregistrements sont accessibles mais vous pouvez uniquement les consulter ; aucune modification n'est permise). Si aucune option n'est choisie, par défaut c'est l'option *Modification* qui s'applique. Sélectionnez *Modification*.

– *Mode fenêtre* : il détermine l'affichage de la fenêtre. Quatre options sont proposées : *Standard* (le formulaire s'ouvre normalement, comme cela est défini dans les propriétés du formulaire, rien n'est modifié), *Masquée* (le formulaire s'ouvre mais est immédiatement caché), *Icône* (là encore, le formulaire s'ouvre mais est immédiatement réduit en icône en bas de l'écran situé au-dessus de la barre des tâches), et *Boîte de dialogue* (le formulaire s'ouvre avec les propriétés *Fenêtre indépendante* et *Fenêtre modale* à *Oui*). Conservez la valeur *Standard*.

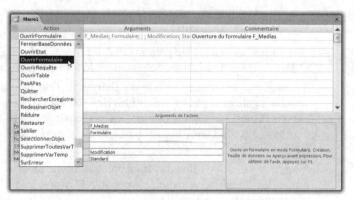

▲ Figure 6.2 : *Les six paramètres de l'action OuvrirFormulaire*

Voilà votre première macro réalisée.

6. Sauvegardez cette macro sous le nom *M_OuvrirF_Medias* et fermez la fenêtre des macros.

Créer automatiquement et rapidement une macro

Vous pouvez créer plus rapidement une macro permettant l'ouverture d'une table, d'une requête, d'un formulaire ou d'un état en faisant glisser l'objet dans la colonne *Action* d'une ligne vide du générateur de macros.

Pour cela, créez une nouvelle macro vide. Déplacez-vous dans le volet de navigation et sélectionnez l'objet à ouvrir (la table, la requête, le formulaire ou l'état souhaité). Faites en sorte de visualiser côte à côte l'objet et la grille de la macro. Puis glissez l'objet choisi dans la colonne *Action* de la première ligne de la grille. Faites un essai avec le formulaire *F_Auteurs* et sauvegardez cette macro sous le nom *M_ListeAuteurs*.

Exécuter une macro

Une fois la macro créée, il faut l'exécuter pour vérifier son bon fonctionnement. Lorsque vous lancez une macro, Access parcourt une à une toutes les actions définies dans la macro. Une macro appelle parfois une autre macro. Vous pouvez ainsi enchaîner plusieurs macros.

Différentes méthodes sont disponibles pour exécuter une macro :

- Double-cliquer sur le nom de la macro dans le volet de navigation. C'est possible lorsque la macro ne contient qu'une seule macro à l'intérieur de la fenêtre.
- Créer un bouton de commande dans un formulaire lié à la macro.
- Affecter la macro à un événement dans un formulaire.
- Affecter la macro à un bouton d'une barre d'outils personnalisée (reportez-vous à la page 324).

Pour contrôler la bonne exécution de la macro créée précédemment :

1. Dans le volet de navigation, positionnez-vous dans le groupe *Macros*.

2. Double-cliquez sur la macro *M_OuvrirF_Medias*.

Affecter une macro à un bouton de commande dans un formulaire

Vous avez déjà étudié l'ajout du contrôle bouton de commande dans les formulaires. Un clic ou un double-clic sur ce contrôle permet l'exécution de diverses actions comme l'ouverture d'un formulaire, d'une requête, d'un état ou encore la fermeture d'un formulaire. Dans le cas présent, nous souhaitons affecter une macro à un bouton de commande.

Dans le formulaire *F_Medias*, vous allez déclencher l'ouverture du formulaire *F_Auteurs*. Vous utiliserez par conséquent la macro *M_ListeAuteurs*. Procédez ainsi :

1. Ouvrez le formulaire dans lequel vous souhaitez insérer le bouton de commande en mode Création. Ouvrez le formulaire *F_Medias*.

2. Assurez-vous que le contrôle **Utiliser les Assistants contrôle** est désactivé.

3. Cliquez sur le contrôle bouton de commande. Cliquez ensuite à l'endroit où vous désirez placer le bouton dans le formulaire.

4. Affichez les propriétés du bouton de commande et sélectionnez l'onglet **Toutes** dans la boîte de dialogue des propriétés. Commencez par lui donner un nom significatif dans la propriété *Nom*. Par exemple, attribuez le nom du formulaire à ouvrir (*Auteurs* conviendra très bien, les symboles F_ ne sont pas nécessaires à cet endroit). Dans la propriété *Légende*, saisissez Afficher la liste des auteurs. Déplacez-vous vers la propriété *Sur clic*, plus bas dans la boîte de dialogue des propriétés. Dans la liste déroulante, sélectionnez la macro à exécuter, soit *M_ListeAuteurs*. La propriété *Sur clic* est en fait appelée dans Access une propriété événementielle. À un événement est associée une action. L'événement considéré ici est le clic de l'utilisateur sur le contrôle bouton de commande.

◄ Figure 6.3 :
Sélection de la macro à exécuter

5. Fermez la fenêtre des propriétés. Éventuellement, améliorez la présentation du bouton de commande. Sauvegardez le formulaire, puis basculez en mode Formulaire et testez le bouton de commande. Fermez les deux formulaires une fois le test effectué.

Afficher un enregistrement précis

Vous allez créer une macro permettant d'ouvrir un formulaire et d'afficher l'enregistrement recherché.

Toujours dans le formulaire *F_Medias*, vous souhaitez ouvrir la fiche complète de l'auteur correspondant au livre sur lequel vous êtes positionné dans une fenêtre modale.

Souvenez-vous, le formulaire *F_Auteurs* avait été conçu pour saisir et consulter l'ensemble des informations sur chaque auteur. Vous l'aviez créé en disposition colonne simple.

Dans un premier temps, vous allez concevoir la macro permettant de réaliser les opérations citées précédemment. Pour cela :

1. Créez une nouvelle macro.

2. Sélectionnez l'action **OuvrirFormulaire**. Saisissez vous-même le commentaire.

3. Positionnez-vous dans le premier argument à renseigner. Remplissez les arguments ainsi :

– *Nom formulaire* : F_Auteurs.
– *Affichage* : Formulaire.
– *Nom filtre* : ne saisissez rien.
– *Condition Where* :
  NumAuteur=Formulaires!F_Medias!CodeAuteur.

L'expression indique que, après l'ouverture du formulaire *F_Auteurs*, une recherche est effectuée sur le numéro de l'auteur (champ *NumAuteur*). L'enregistrement affiché doit correspondre au code de l'auteur (*CodeAuteur*) du formulaire en cours (*Formulaires!*) nommé (*F_Me-*

dias). Attention, respectez la syntaxe. Après validation de l'expression, tous les éléments de l'expression sont entourés de crochets.

Vous remarquez également, dans la ligne *Condition Where*, la présence du symbole permettant de lancer le générateur d'expression. Vous auriez très bien pu créer l'expression par le générateur. Avec un peu d'habitude, vous verrez que c'est plus facile de saisir soi-même les expressions quand on maîtrise correctement son sujet.

- *Mode données* : Modification.
- *Mode fenêtre* : Boîte de dialogue.

4. Sauvegardez la macro sous le nom de *M_FicheAuteurs* puis fermez-la.

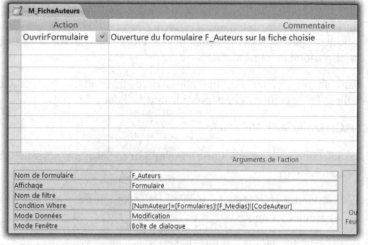

▲ Figure 6.4 : *Action de la macro M_FicheAuteurs*

5. Dans le formulaire *F_Medias* en mode Création, définissez un bouton de commande exécutant la macro *M_FicheAuteurs*. Modifiez ses propriétés *Nom*, *Légende* et *Sur clic* comme vous le souhaitez.

6. Enregistrez le formulaire et testez le bouton de commande.

La méthode étudiée dans les formulaires (page 208) est plus simple à mettre en œuvre dans le cas d'actions déjà prédéfinies dans l'assistant, comme l'ouverture de formulaires, de requêtes ou d'états. En revanche, dès que l'assistant n'est plus en mesure de proposer une opération particulière, il devient nécessaire d'utiliser les macros ou, mieux, le langage VBA.

Modifier une macro

Vous pouvez modifier le contenu d'une macro en ajoutant ou en supprimant des actions. Pour modifier une macro, commencez par l'ouvrir en mode Création. Réalisez ensuite les modifications souhaitées.

■ Pour insérer une nouvelle ligne entre deux actions déjà existantes, sélectionnez la ligne au-dessus de laquelle vous souhaitez placer la nouvelle action. Puis cliquez sur le contrôle **Insérer des lignes** du groupe *Lignes*.

■ Pour supprimer une ou plusieurs lignes, sélectionnez-les, puis cliquez sur le contrôle **Supprimer les lignes** du groupe *Lignes*.

■ Pour déplacer une ou plusieurs lignes, sélectionnez-les, puis cliquez sur un des sélecteurs du groupe de lignes à déplacer et faites glisser la sélection à l'emplacement souhaité.

Affecter une macro à un événement

Les macros peuvent également être exécutées en réponse à des événements autres que les événements *Sur clic* ou *Sur double-clic* que vous avez étudiés précédemment. Les objets formulaires, états ainsi que les contrôles qui les composent possèdent un certain nombre de propriétés nommées, plus haut, propriétés événementielles. Une série d'actions peut être exécutée sur un événement précis. La difficulté est de bien définir sur quel événement Access doit déclencher la macro.

Voici quelques propriétés événementielles appliquées aux formulaires.

Tab. 6.1 : Aperçu des principales propriétés événementielles utilisées dans un formulaire	
Propriétés événementielles	**Description**
Sur Activation	Cet événement se déclenche lorsque Access accède à un enregistrement quelconque du formulaire

Tab. 6.1 : Aperçu des principales propriétés événementielles utilisées dans un formulaire

Propriétés événementielles	Description
Avant MAJ	Cet événement se déclenche au moment où vous souhaitez passer à un autre enregistrement mais avant que les modifications n'aient été enregistrées dans les tables associées
Après MAJ	Cet événement se déclenche après que les modifications d'un enregistrement ont été sauvegardées dans les tables associées
Sur suppression	Cet événement se déclenche au moment où la procédure de suppression s'exécute
Sur ouverture	Cet événement se déclenche dès que vous ouvrez un formulaire et avant d'afficher le premier enregistrement
Sur fermeture	Cet événement se déclenche dès que vous fermez un formulaire
Sur activé	Cet événement se déclenche dès que le formulaire concerné devient le formulaire actif

Les propriétés *Sur ouverture*, *Sur fermeture* et *Sur activé* sont également valables dans un état.

À l'ouverture d'un formulaire, si plusieurs macros sont affectées à différents événements, ces derniers se déclenchent dans l'ordre donné dans le tableau. Ce qui signifie qu'une propriété *Avant MAJ* s'exécute avant une propriété *Après MAJ* (c'est tout à fait logique).

Nous vous proposons maintenant quelques propriétés applicables aux contrôles de formulaires ou d'états.

Tab. 6.2 : Aperçu des principales propriétés événementielles utilisées pour des contrôles

Propriétés événementielles	Description
Avant MAJ	Cet événement se déclenche au moment où vous souhaitez passer à un autre contrôle mais avant que les modifications n'aient été prises en compte dans le contrôle actif

Tab. 6.2 : Aperçu des principales propriétés événementielles utilisées pour des contrôles	
Propriétés événementielles	Description
Après MAJ	Cet événement se déclenche après que les modifications du contrôle en cours ont été prises en compte
Sur entrée	Cet événement se déclenche avant d'accéder à un contrôle
Sur sortie	Cet événement se déclenche dès que vous quittez un contrôle
Sur clic	Cet événement se déclenche lors d'un clic sur le contrôle
Sur double-clic	Cet événement se déclenche lors d'un double-clic sur le contrôle

Les événements *Clic* et *Double-clic* sont surtout utilisés sur les contrôles bouton de commande, bouton d'options ou case à cocher.

Créer un groupe de macros

À ce niveau du chapitre, vous vous apercevez que l'objet macro est un outil assez puissant et que vous auriez tort de vous en dispenser. Cependant, plus l'application est importante et plus le nombre de macros réalisées croît. Rapidement, vous serez perdu dans la jungle des macros créées. Aussi, Access offre la possibilité de rassembler plusieurs macros au sein d'une fenêtre **Macro**. On appelle cela un groupe de macros. Vous donnerez un nom à la fenêtre principale et chaque sous-macro contenue dans cette fenêtre portera son propre nom afin d'être facilement identifiée. En général, on regroupe ensemble des macros dont le sujet est commun. Par exemple, toutes les macros en rapport avec le formulaire *F_Medias* seront stockées dans la macro *M_Medias*.

Vous allez regrouper au sein d'un groupe de macros les macros *M_FicheAuteurs* et *M_ListeAuteurs*. Pour cela :

1. Ouvrez la macro *M_FicheAuteurs* en mode Création.

2. Sélectionnez la ligne entière de la seule action composant cette macro en cliquant sur le sélecteur situé à gauche de **OuvrirFormulaire**.

3. Copiez cette ligne en appuyant simultanément sur les touches Ctrl+C puis fermez cette macro.

4. Cliquez sur le bouton **Nouveau** pour créer une nouvelle macro qui deviendra, par la suite, un groupe de macros.

5. Positionnez-vous dans la première ligne de la grille, puis collez la ligne précédemment copiée en appuyant simultanément sur les touches Ctrl+V.

6. Ouvrez la macro *M_ListeAuteurs* en mode Création. Copiez la totalité de la première et unique ligne de cette macro. Fermez la fenêtre.

7. Cliquez sur l'onglet de document **Macro1**.

8. Laissez une ligne vide (positionnez-vous dans la troisième ligne) et collez la macro.

Vous allez maintenant donner un nom aux deux macros.

9. Cliquez sur l'outil **Noms de macro**.

Access affiche une nouvelle colonne intitulée *Nom de macro*.

10. Dans la première ligne de cette colonne, saisissez le nom de la première macro, soit FicheAuteur, puis dans la troisième ligne de cette même colonne, saisissez le nom de la deuxième macro, soit ListeAuteurs.

11. Enregistrez ce groupe de macros sous le nom *M_Medias*. Fermez le groupe.

Vous devez maintenant modifier l'appel des macros dans le formulaire *F_Medias*.

12. Ouvrez le formulaire *F_Medias* en mode Création.

13. Double-cliquez sur le bouton de commande **Auteurs** pour afficher sa fenêtre de propriétés. Dans la propriété *Sur clic*, sélectionnez la macro *M_Medias.ListeAuteurs*.

14. Cliquez sur le bouton de commande **FicheAuteur** puis dans sa propriété *Sur clic*, sélectionnez la macro *M_Medias.FicheAuteur*.

15. Passez en affichage mode Formulaire, puis testez les deux boutons de commande.

Dorénavant, lorsque vous souhaiterez exécuter une sous-macro, la syntaxe de la commande à sélectionner ou à saisir sera : `Nom_du_groupe_de-_macros.Nom_de_la_macro`.

Pensez maintenant à supprimer les deux macros *M_ListeAuteurs* et *M_FicheAuteur* qui ne nous seront plus d'aucune utilité.

Pour supprimer une macro, sélectionnez la macro concernée. Appuyez sur la touche (Suppr) du clavier et confirmez la suppression en cliquant sur le bouton **Oui**.

Créer une macro conditionnelle

Vous pouvez également exécuter des actions en fonction de certains critères. Selon que le critère posé est satisfait ou non, vous effectuerez telle ou telle action.

Dans le formulaire *F_Medias*, vous souhaitez que systématiquement, lors de la saisie d'un nouveau média, la date d'achat soit renseignée (si le livre est offert, saisissez la date du cadeau). Par conséquent, la macro devra exécuter les opérations suivantes :

- Contrôler la saisie effective de la date.
- Afficher une boîte de dialogue si la saisie n'a pas été effectuée.
- Retourner sur le contrôle *DateAchat* pour obliger sa saisie.

Vous devez vous demander à quel moment la macro devra s'exécuter, c'est-à-dire sur quel événement. En fait, ce contrôle doit s'effectuer avant la sauvegarde de l'enregistrement complet, soit avant la mise à jour de l'enregistrement dans la table. Il ne faut surtout pas qu'Access enregistre les nouvelles données avant d'avoir testé si l'ensemble des informations a été correctement saisi. Vous devrez, en conséquence, attribuer la macro à la propriété *Avant MAJ* du formulaire *F_Media*.

1. Créez une nouvelle macro ou ouvrez, en mode Création, un groupe de macros déjà existant. Ouvrez le groupe *M_Medias*.

2. Positionnez-vous sur la cinquième ligne de la première colonne. Saisissez le nom de la macro `SaisieDateAchat`.

3. Pour ajouter des conditions, cliquez sur l'outil **Conditions**.

   Une nouvelle colonne nommée *Condition* apparaît.

4. Positionnez-vous dans cette colonne (toujours en cinquième ligne). Vous allez devoir y saisir la condition qui testera si la date d'achat est saisie ou non, c'est-à-dire si le champ *DateAchat* contient une valeur. Ce test s'effectue en utilisant la fonction *Null* déjà étudiée au chapitre *Créer et gérer des requêtes* (en page 238). Saisissez l'expression `DateAchat Est Null`. Après validation, le champ *DateAchat* est entouré de crochets.

5. Appuyez sur la touche ⎁Tab⎁ ou ⎁Entrée⎁ pour déplacer le curseur dans la colonne suivante, la colonne *Action*.

6. Si la date d'achat n'est pas renseignée, on souhaite afficher une boîte de dialogue indiquant que cette saisie est obligatoire. L'action correspondante que vous devez sélectionner est **BoîteMsg**. Cette action comprend quatre arguments :

   – *Message* : ce paramètre correspond au commentaire affiché dans la boîte de dialogue. Saisissez `La saisie de la date d'achat est obligatoire.` puis appuyez simultanément sur les touches ⎁Ctrl⎁+⎁Entrée⎁ pour faire un retour à la ligne dans la boîte de dialogue. Continuez avec la saisie suivante : `Si c'est un cadeau, indiquez la date où vous l'avez reçu.`

   – *Bip* : si l'option choisie est *Oui*, un léger son est émis à l'ouverture de la boîte. Sinon, il n'y a aucun son. Conservez l'option *Oui*.

   – *Type* : il permet de choisir l'icône à afficher dans la boîte. Quatre types d'icônes sont disponibles :

Tab. 6.3 : Liste des icônes associées à une boîte de dialogue	
Icône	Signification
Stop	
Point d'interrogation	
Point d'exclamation	
Information	

Une quatrième option, *Aucun*, est également proposée.

◄ Figure 6.5 :
Message sans icône

Choisissez l'icône *Point d'exclamation*.

– *Titre* : ce paramètre correspond au titre que vous souhaitez visualiser dans la barre de titre de la boîte de dialogue. Saisissez Saisie oubliée !.

◄ Figure 6.6 :
Boîte de dialogue affichée en cas d'oubli de saisie

7. Dans la colonne *Commentaire*, saisissez Affichage d'une boîte de dialogue si la date d'achat n'a pas été saisie.

8. Passez à la ligne suivante. Après avoir fermé la boîte de dialogue présentant le message d'erreur, il faut indiquer à Access de ne pas procéder à l'enregistrement des données en cours. Autrement dit, il faut annuler la commande de sauvegarde des données de cet enregistrement dans les tables concernées tant que la date d'achat n'est pas saisie. L'action requise est **AnnulerEvénement**. Remplissez la ligne de la façon suivante :

   – Dans la colonne *Nom macro*, vous n'avez rien à saisir puisque vous poursuivez l'écriture de la même macro.

   – Dans la colonne *Condition*, comme vous n'effectuerez l'action que si la condition déjà saisie dans la ligne précédente est vraie, vous devez en principe inscrire de nouveau cette même condition. En fait, Access vous propose une solution plus simple. Il vous suffit de saisir trois points à suivre … pour que la condition ajoutée au-dessus soit reprise dans la ligne en cours. Saisissez donc ces trois points.

   – Dans la colonne *Action*, sélectionnez **AnnulerEvénement**. Aucun paramètre n'est requis.

   – Dans la colonne *Commentaire*, saisissez `Action provoquant l'arrêt de l'enregistrement des données dans les tables tant que la date d'achat n'est pas saisie`.

9. Passez à la ligne suivante. Après avoir annulé l'événement, l'utilisateur doit se retrouver dans le contrôle *DateAchat* afin de l'obliger à saisir cette date. Remplissez la ligne en suivant les instructions ci-après :

   – Dans la colonne *Nom macro*, vous n'avez toujours rien à saisir.

   – Dans la colonne *Condition*, saisissez les trois points car la condition est identique à la précédente.

   – Dans la colonne *Action*, sélectionnez **AtteindreContrôle**. C'est une action qui va positionner votre curseur directement dans le champ *DateAchat*. Le paramètre à saisir dans *Nom contrôle* est `DateAchat`.

   – Dans la colonne *Commentaire*, saisissez `Positionne le pointeur dans le champ DateAchat`.

Seules ces actions sont nécessaires pour contrôler la saisie d'un contrôle tel que la date d'achat. Cette suite d'instructions peut s'adapter à n'importe quel autre champ de saisie.

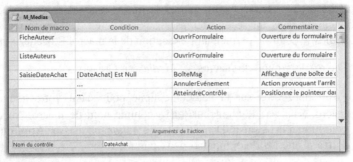

▲ Figure 6.7 : *Macro de contrôle d'une saisie effective dans un champ*

10. Enregistrez et fermez la macro.

11. Il reste à attribuer la macro à l'événement *Avant MAJ* du formulaire *F_Medias*. Ouvrez le formulaire *F_Medias* en mode Création.

12. Affichez les propriétés du formulaire. Dans la propriété événementielle *Avant MAJ*, sélectionnez la macro *F_Medias.SaisieDateAchat*.

13. Enregistrez le formulaire et testez la macro sur la saisie d'un nouveau média. Bien sûr, omettez la date d'achat afin de constater le bon fonctionnement de la macro. Fermez le formulaire.

Deux exemples de macros utiles

Dans cette section, nous vous proposons deux exemples de macros utiles que vous pourrez facilement adapter à n'importe quelle autre base de données.

Rechercher approximativement une valeur

Vous allez créer une macro permettant de trouver un ou plusieurs médias à partir de la saisie approximative d'un titre.

En principe, pour effectuer une recherche, vous utilisez la procédure de recherche proposée par Access dans les tables ou les formulaires. Outre la saisie de l'information à chercher, des informations complémentaires vous sont demandées. Plutôt que d'utiliser l'outil **Rechercher** dans un formulaire, vous créerez, à l'aide d'une macro, une procédure de recherche un peu plus rapide basée uniquement sur la saisie du titre exact (si vous le connaissez) ou sur la saisie de quelques caractères.

Dans un premier temps, vous créerez la macro mettant en œuvre cette recherche et dans un second temps, vous ajouterez dans le formulaire *F_Medias* le contrôle permettant l'exécution de la macro. Procédez ainsi :

1. Ouvrez le groupe de macros *M_Medias* en Création.

2. Positionnez-vous sur la neuvième ligne pour saisir votre nouvelle macro. Saisissez `RechercherMedia` comme nom de macro. Aucune condition n'est à saisir. Dans la colonne *Action*, choisissez **Appliquer-Filtre**. Cette action comprend deux paramètres :

– *Nom filtre* : ce paramètre contient le nom d'une requête. N'ayant pas créé de requête pour réaliser la recherche, ne complétez pas cet argument.

– *Condition Where* : vous allez saisir une expression dont la syntaxe est très stricte. Saisissez : `TitreMedia comme "*" & Formulaires!F_Medias!RechMedia & "*"`.
Décryptons cette expression un peu "barbare".

■ *TitreMedia* indique le nom du champ dans lequel s'effectue la recherche.

■ *Comme* est un opérateur de comparaison utilisé sur les champs de type *Texte* ou *Mémo*.

■ L'étoile (*) est un joker qui remplace n'importe quelle chaîne de caractères.

■ Le symbole & permet de concaténer (mettre bout à bout) plusieurs critères.

■ *Formulaires!F_Medias!RechMedia* indique que le terme à chercher se trouve dans le contrôle (ou champ) *RechMedia* du formulaire (Formulaires) *F_Medias*.

Concrètement, cette expression signifie que vous recherchez tous les titres contenant les caractères saisis dans le contrôle *RechMedia*. Si vous saisissez au dans le champ de recherche, Access trouvera les médias *Au nom d'une femme*, *Tintin au Congo* ou *Astérix le Gaulois*. Les trois titres contiennent la séquence de lettres "au".

3. Dans la colonne *Commentaire*, saisissez `Rechercher les médias souhaités`. Enregistrez et fermez la macro.

RechercherMedia		AppliquerFiltre	Rechercher les médias souhaités
	Arguments de l'action		
Nom du filtre			
Condition Where	[TitreMedia] Comme "*" & [Formulaires]![F_Medias]![RechMe		
Nom du contrôle			

▲ Figure 6.8 : *Instruction d'une macro réalisant une recherche approximative*

Passons à la deuxième partie.

4. Ouvrez le formulaire *F_Medias* en mode Création. Insérez un contrôle zone de texte à l'endroit souhaité (par exemple dans l'en-tête de formulaire sous la zone de liste déroulante *Recherche titre du média*). Double-cliquez sur ce nouveau contrôle afin d'afficher la fenêtre de ses propriétés. Puis modifiez les propriétés suivantes :

- *Nom* : RechMedia.
- *Après MAJ* : sélectionnez la macro *M_Medias.RechercherMedia*.

5. Modifiez la légende de l'étiquette en Rechercher un titre précis ou approximatif et redimensionnez correctement ce contrôle. Enregistrez le formulaire et testez ce nouveau contrôle. Fermez le formulaire.

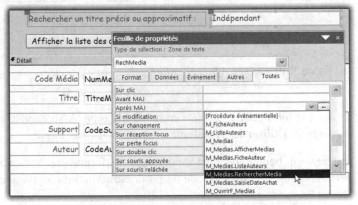

▲ Figure 6.9 : *Affectation de la macro à la propriété Après MAJ du contrôle RechMedia*

Afficher tous les enregistrements

Dans l'exemple précédent, chaque fois que vous lancez la macro, vous utilisez un filtre. Dès lors, seuls certains enregistrements deviennent accessibles (les médias qui ont satisfait au critère de recherche posé). Il serait maintenant nécessaire de prévoir un bouton de commande permettant d'accéder de nouveau à tous les enregistrements.

Comme précédemment, dans un premier temps, vous créerez la macro contenant l'action à effectuer et dans un second temps, vous l'affecterez à un bouton de commande du formulaire *F_Medias*. Procédez ainsi :

1. Ouvrez le groupe de macros *M_Medias* en mode Création.

2. Positionnez-vous sur la onzième ligne pour créer votre nouvelle macro. Saisissez `AfficherMedias` comme nom de macro. Aucune condition n'est à renseigner. Dans la colonne *Action*, choisissez **AfficherTousEnreg**. Cette action ne contient aucun paramètre.

3. Dans la colonne *Commentaire*, saisissez `Affiche tous les enre-gistrements du formulaire F_Medias`. Enregistrez et fermez la macro.

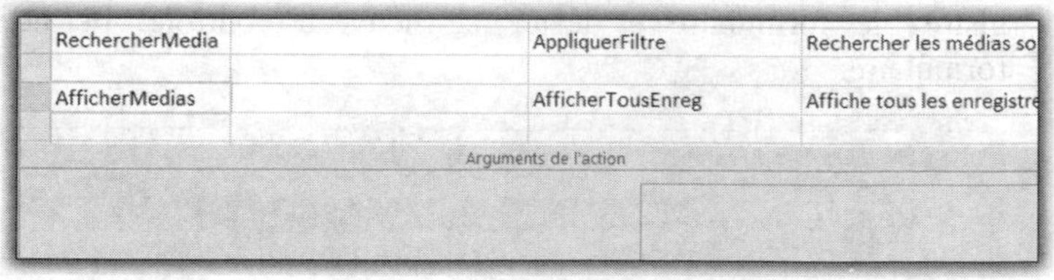

RechercherMedia		AppliquerFiltre	Rechercher les médias so
AfficherMedias		AfficherTousEnreg	Affiche tous les enregistre
	Arguments de l'action		

▲ Figure 6.10 : *Action AfficherTousEnreg du groupe de macros M_Medias*

4. Ouvrez le formulaire *F_Medias* en mode Création. Assurez-vous que le contrôle **Utiliser les Assistants contrôle** n'est pas activé.

5. Insérez un bouton de commande dans le formulaire à l'endroit souhaité et affichez la fenêtre de ses propriétés. Modifiez les propriétés suivantes :

– *Nom* : `AfficherMedias`.

– *Légende* : `Afficher tous les médias`.

– *Sur clic* : sélectionnez la macro *M_Medias.AfficherMedias*.

Enregistrez le formulaire et testez ce nouveau contrôle. Fermez le formulaire.

6.4 Utiliser des macros incorporées pour créer un formulaire d'accueil

Une fois les tables, requêtes, formulaires, états et macros réalisés, il serait souhaitable de faciliter la navigation entre tous ces objets par la réalisation d'un écran d'accueil. Cela donnera, de plus, un aspect professionnel et esthétique à votre application. Sur cet écran, vous insérerez des boutons de commande afin d'accéder rapidement aux différents formulaires et états créés, ainsi que des éléments graphiques pour rendre la manipulation de l'application par l'utilisateur plus conviviale.

Cet écran d'accueil sera, par la suite, lancé automatiquement au démarrage de votre base de données.

Pour créer un menu d'accueil personnalisé, utilisez un assistant ou faites-le manuellement. Vous choisirez ici la deuxième méthode qui permet de maîtriser totalement son sujet. Si vous êtes curieux, vous pouvez tenter la première solution en activant le contrôle **Gestionnaire de Menu Général** du groupe *Outils de base de données* du même onglet.

Pour le moment, vous allez mettre en pratique les connaissances acquises dans cet ouvrage pour réaliser de façon autonome votre propre menu d'accueil. Procédez ainsi :

1. Pour créer un formulaire basé sur aucune table, cliquez sur le contrôle **Vide** du groupe *Formulaires* de l'onglet **Créer**. Vous obtenez un écran vide ; c'est un formulaire indépendant.

2. Fermez la fenêtre **Liste de champs** si elle s'affiche et basculez en mode Création.

3. Agrandissez la zone de travail (la section *Détail*) en hauteur et en largeur.

4. Dans cette étape, vous allez insérer tous les boutons de commande nécessaires à la navigation dans votre application, ainsi que les éléments graphiques. Ces boutons seront commandés par des macros incorporées dans le formulaire d'accueil. Bien entendu, rien ne vous empêche de créer des macros autonomes et de les associer aux différents boutons de commande comme nous l'avons étudié précédemment.

Rappelons brièvement la méthode à appliquer pour réaliser des boutons de commande avec l'assistant. Pour insérer un bouton de commande, assurez-vous que le contrôle **Utiliser les Assistants contrôle** est activé. Cliquez sur le contrôle bouton de commande et cliquez à l'endroit souhaité dans le formulaire. Dès lors, un assistant se déclenche. Suivez les étapes et répondez aux questions en fonction des nécessités et de vos souhaits.

En suivant les indications figurant dans le tableau ci-après, vous allez créer les boutons provoquant l'ouverture des formulaires et des états, le bouton pour fermer le formulaire d'accueil et le bouton pour quitter Access.

Dans le tableau suivant, vous trouverez une partie des réponses à saisir dans les différentes étapes de l'assistant. En ce qui concerne le choix du texte ou de l'image, vous définirez ce que vous désirez à ce niveau. Vous insérerez ensuite tous les éléments graphiques : traits, images, couleurs, etc.

Tab. 6.4 : Liste des boutons insérés dans le formulaire F_Accueil

Boutons	Catégories	Actions	Choix	Nom
Formulaires	*Opérations sur formulaire*	**Ouvrir un formulaire**	*F_Supports, F_Auteurs, F_Editeurs, F_Medias…*	Nom concis du formulaire. Par exemple Auteurs pour F_Auteurs

Tab. 6.4 : Liste des boutons insérés dans le formulaire F_Accueil				
Boutons	Catégories	Actions	Choix	Nom
Etats	*Opérations sur état*	**Aperçu d'un état**	*E_Auteurs, E_Editeurs...*	Nom concis de l'état. Par exemple Ap_Auteurs pour E_Auteurs en aperçu
Fermer le menu d'accueil	*Opérations sur formulaire*	**Fermer un formulaire**		Fermer
Quitter Access	*Applications*	**Quitter une application**		Quitter

Vous allez réaliser le formulaire selon le modèle présenté ci-après.

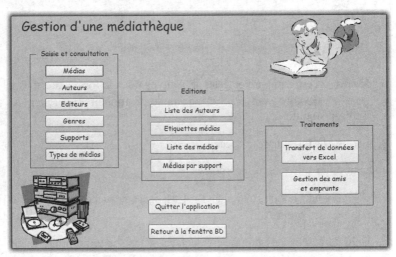

▲ Figure 6.11 : *Menu d'accueil de l'application Médiathèque*

5. Vous devez également régler certaines propriétés du formulaire pour que celui-ci fonctionne de façon optimale. Modifiez ces propriétés en vous conformant à l'écran suivant.

◄ Figure 6.12 :
Propriétés du formulaire d'accueil

6. Nommez ce formulaire et testez-le. Sauvegardez le formulaire sous le nom *F_MenuAccueil*. Passez en mode Formulaire et testez les différents boutons.

7. Fermez le formulaire d'accueil.

Pour modifier une macro incorporée :

1. Sélectionnez le contrôle auquel est associée la macro incorporée et affichez ses propriétés.

2. Dans la fenêtre des propriétés, déplacez-vous sur la propriété contenant la macro. Cette propriété affiche le libellé *[Macro incorporée]*.

3. Cliquez sur le bouton surmonté des trois points, situé à droite de la zone sélectionnée, afin d'activer le générateur de macros.

4. Modifiez la macro.

5. Enregistrez la macro avant de fermer la fenêtre.

6.5 Un petit programme intéressant...

Nous vous proposons maintenant un exemple destiné à transférer des données d'Access vers Excel.

Sachant que vous possédez une médiathèque importante, vos amis vous demandent très souvent la liste de vos livres, CD ou DVD. Pour faciliter votre tâche, vous allez créer une macro qui extraira la liste des médias du support souhaité et enverra ces données vers Excel. Notez qu'un état dans Access aurait pu suffire. L'intérêt est que vous pourrez non seulement imprimer cette liste pour vos amis, mais que vous aurez aussi la possibilité de leur envoyer le fichier Excel par e-mail. Procédez ainsi :

1. Créez une nouvelle macro. Saisissez les actions suivantes :

Tab. 6.5 : Actions et arguments de la macro M_TransfertExcel		
Action	Arguments	Contenu
CopierVers	*Type d'objet*	Requête
	Nom de l'objet	R_ListeMediasParSupport
	Format de sortie	Classeur Excel 97-2003 (*.xls)
	Fichier de copie	C:\MicroApp\Access2007\Liste médias par support.xls. Saisissez le nom complet (chemin + nom du classeur suivi de l'extension)
	Lancement automatique	Non car vous ne souhaitez pas exécuter Excel immédiatement
BoîteMsg	*Message*	L'opération de transfert s'est effectuée avec succès
	Bip	Oui
	Type	Information
	Titre	Export vers Excel réussi !

2. Sauvegardez cette macro sous le nom *M_TransfertExcel*.

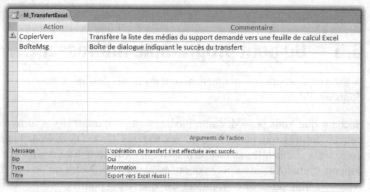

M_TransfertExcel	
Action	Commentaire
CopierVers	Transfère la liste des médias du support demandé vers une feuille de calcul Excel
BoîteMsg	Boîte de dialogue indiquant le succès du transfert

Arguments de l'action	
Message	L'opération de transfert s'est effectuée avec succès.
Bip	Oui
Type	Information
Titre	Export vers Excel réussi !

▲ Figure 6.13 : *Macro M_TransfertExcel*

Dans le formulaire *F_MenuAccueil*, vous allez créer un bouton de commande exécutant cette macro :

3. Ouvrez le formulaire *F_MenuAccueil* en mode Création. Assurez-vous que le contrôle **Utiliser les Assistants contrôle** est activé. Sélectionnez le contrôle bouton de commande et cliquez dans le formulaire à l'endroit où vous souhaitez implanter ce bouton. Dans la boîte de dialogue **Assistant bouton de commande**, sélectionnez la catégorie *Divers* puis l'action **Exécuter une macro**. Cliquez sur le bouton **Suivant**.

4. Sélectionnez la macro *M_TransfertExcel* puis cliquez sur le bouton **Suivant**.

5. À l'étape suivante, choisissez de visualiser un texte sur le bouton plutôt que d'y insérer une image. Saisissez Transfert de données vers Excel. Cliquez sur le bouton **Suivant**.

6. Nommez le bouton **TransfertExcel** et cliquez sur le bouton **Terminer**. Sauvegardez le formulaire *F_MenuAccueil* puis testez le bon fonctionnement du transfert de données.

La macro exécutant une requête paramétrée, il vous est demandé au lancement de saisir le support du média souhaité (CD, DVD, Livre, etc.).

Si vous saisissez un support non répertorié dans la table, la macro s'exécute correctement mais la feuille de calcul générée ne contient aucune donnée en dehors de la ligne d'en-tête.

Le chemin *C:\MicroApp\Access2007* doit exister sur votre disque dur, sinon une erreur est générée et le transfert ne s'exécute pas.

Exécutions multiples de la macro

Si vous exécutez plusieurs fois la macro, un message vous demande si vous souhaitez écraser le classeur précédemment exporté. Si vous ne souhaitez pas supprimer le précédent export, cliquez sur le bouton **Non**. Access vous propose alors de sauvegarder le classeur sous un nouveau nom.

7

Personnaliser une application

7.1 Créer une barre d'outils personnalisée

Les actions répétitives comme la création d'un nouvel enregistrement, sa suppression ou encore des déplacements entre enregistrements peuvent être exécutées par le biais de boutons de commande placés dans chaque formulaire. Pour les déplacements entre enregistrements, il existe déjà une barre de boutons de déplacement située en bas du formulaire. Mais pour améliorer l'ergonomie de l'application, vous supprimerez cette barre et insérerez vous-même tous les boutons de commande nécessaires au bon fonctionnement de l'application. L'ensemble de ces boutons constituera la barre d'outils de l'application *Médiathèque*.

Pour réaliser votre barre d'outils, vous devrez activer le contrôle **Utiliser les Assistants contrôle**. Cette barre d'outils figurera dans tous les formulaires de l'application. Par conséquent, elle sera créée de toutes pièces une première fois dans un des formulaires. Puis il vous suffira d'un simple copier/coller pour insérer cette barre dans les autres formulaires.

Passons à la pratique.

1. Ouvrez n'importe quel formulaire en mode Création. Pour votre réalisation, ouvrez le formulaire *F_Medias*.

Le barre que vous allez créer se positionnera dans le pied de page de chaque formulaire.

2. Agrandissez la section *Pied de page*. Afin d'harmoniser tous vos formulaires, affectez à chaque pied de page la même dimension en hauteur. Cette dimension est repérable dans la fenêtre des propriétés du pied de page dans la propriété *Hauteur* (saisissez par exemple 2 cm).

3. Assurez-vous que le contrôle **Utiliser les Assistants contrôle** est activé. Cliquez sur l'outil **Bouton de commande** puis cliquez à l'emplacement souhaité (plutôt vers la gauche de l'écran) dans le pied de page. Le premier bouton que vous installerez permettra de vous placer sur le premier enregistrement du formulaire.

Lorsque vous lâchez le bouton de la souris, l'Assistant Bouton de commande se déclenche.

4. Dans la rubrique *Catégories*, conservez l'option *Déplacements entre enreg.* Dans la rubrique *Actions*, cliquez sur **Premier enregistrement**. Cliquez sur le bouton **Suivant**.

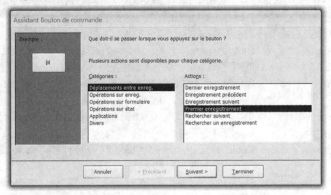

▲ Figure 7.1 : *Créer un bouton de commande avec l'assistant*

5. Conservez l'image proposée et cliquez sur le bouton **Suivant**.

6. Donnez toujours un nom significatif au bouton, de préférence sans espaces. Nommez-le **Premier**. Cliquez sur le bouton **Terminer**.

▲ Figure 7.2 : *Donnez un nom court au bouton*

Le bouton apparaît dans le pied de formulaire à l'endroit indiqué.

7. De la même façon, continuez la création de la barre d'outils en insérant successivement les autres boutons dont les consignes sont les suivantes :

Catégorie	Action	Image	Nom
Déplacements entre enreg.	Enregistrement précédent	Atteindre précédent	**Precedent**
Déplacements entre enreg.	Enregistrement suivant	Atteindre suivant	**Suivant**
Déplacements entre enreg.	Dernier enregistrement	Atteindre dernier 2	**Dernier**
Opérations sur enreg.	Ajouter un nouvel enregistrement	Atteindre nouveau 2	**Nouveau**
Opérations sur enreg.	Supprimer un enregistrement	Supprimer enregistrement	**Supprimer**

Tab. 7.1 : Instructions concernant les boutons à mettre en place

Le bouton **Fermer** existe déjà dans ce formulaire ; procédez juste à son déplacement. Positionnez-le à droite des autres boutons.

8. Améliorez la mise en forme comme ci-dessus (alignez correctement les contrôles, égalisez l'espacement entre chacun d'eux, réalisez un encadrement, etc.). Votre barre d'outils est prête à fonctionner.

▲ Figure 7.3 : *Barre d'outils de l'application Médiathèque*

9. Avant de la tester, vous allez supprimer la barre de boutons de déplacement automatiquement intégrée dans un formulaire en mode Formulaire. Affichez les propriétés du formulaire. Placez-vous sur la propriété *Boutons de déplacement* et affectez-lui la valeur *Non*.

10. Enregistrez le formulaire, testez-le et fermez-le (en utilisant le bouton **Fermer**, bien sûr).

Voyons maintenant comment incorporer cette barre d'outils dans les autres formulaires de l'application. Suivez scrupuleusement les étapes suivantes :

1. Ouvrez de nouveau le formulaire *F_Medias* en mode Création.

2. Sélectionnez les sept boutons ainsi que le cadre. Copiez cette sélection.

3. Ouvrez un autre formulaire en mode Création, par exemple *F_Auteurs*.

4. Agrandissez le pied de page de ce formulaire (2 cm comme le formulaire précédent).

5. Collez la sélection dans la section *Pied de page*.

6. Enregistrez le formulaire *F_Auteurs* et testez le bon fonctionnement de la barre d'outils.

7. Fermez le formulaire *F_Auteurs*.

8. Répétez cette procédure pour chaque formulaire où la barre d'outils doit figurer. En principe, vous n'avez plus besoin de copier la barre d'outils du formulaire *F_Medias* puisque la copie est mémorisée dans le Presse-papiers. Fermez le formulaire *F_Medias*.

7.2 Exécuter un formulaire d'accueil au démarrage

Maintenant que l'ensemble de l'application est finalisé, il s'agit d'automatiser le lancement du formulaire d'accueil créé dans le chapitre précédent et d'y associer la nouvelle barre d'outils créée précédemment. Access vous offre la possibilité d'automatiser le fonctionnement de cette application. Pour cela :

1. Assurez-vous que tous les objets sont fermés.

2. Cliquez sur le bouton **Office**.

3. Cliquez sur le bouton de commande **Options Access**.

4. Dans la boîte de dialogue **Options Access**, sélectionnez la catégorie *Base de données active*.

C'est dans la fenêtre de droite que vous allez paramétrer les éléments à activer au démarrage de l'application :

5. Dans la rubrique *Titre de l'application*, saisissez `Gestion d'une médiathèque`.

Ce titre apparaît au lancement de la base de données dans la barre de titre de l'application à la place de l'actuel titre Microsoft Access.

6. Dans la rubrique *Icône de l'application*, saisissez le chemin complet pour obtenir un fichier icône (extension *.bmp* ou *.ico*) présent sur votre disque dur, ou cliquez sur le bouton surmonté de trois points afin de parcourir votre disque et d'y trouver l'icône souhaitée. Vous pouvez toujours télécharger l'icône utilisée sur notre site, à l'adresse `www.microapp.com`. Cette icône remplacera l'icône de Microsoft Access en haut et à gauche de la fenêtre **Base de données**.

Profitez-en pour cocher la case *Utiliser comme icône de formulaire et d'état*.

7. Dans la rubrique *Afficher le formulaire*, sélectionnez le formulaire *F_MenuAccueil* afin qu'il se lance automatiquement à l'ouverture.

8. Décochez la case *Afficher la barre d'état*.

9. Comme nous avons créé un menu d'accueil, le volet de navigation n'est plus utile. Par conséquent, dans la rubrique *Navigation*, décochez la case *Afficher le volet de navigation*.

10. Enfin, dans la rubrique *Options de la barre d'outils*, décochez les cases *Autoriser les menus complets*, *Autoriser les menus contextuels par défaut*.

Ne vous occupez pas des autres propriétés ; conservez les options proposées.

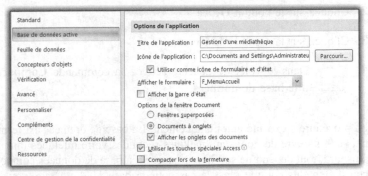

▲ Figure 7.4 : *Paramètres des options de démarrage*

11. Cliquez sur le bouton OK pour valider ces modifications.

Certaines propriétés sont appliquées, comme le remplacement du titre et de l'icône. Les autres propriétés seront prises en compte au prochain démarrage de votre application. Quittez la base de données ainsi qu'Access, puis relancez l'application pour visualiser le résultat.

> **Ne pas activer les options de démarrage**
>
> Pour éviter la prise en compte des paramètres définis au lancement d'une application, maintenez la touche [Maj] enfoncée au moment où vous exécutez l'ouverture de la base de données.

7.3 Compacter une base de données

Plus vous effectuez de manipulations sur une base de données, plus celle-ci se fractionne et occupe une place importante sur le disque dur. De plus, quand vous supprimez des objets ou des enregistrements, vous ne gagnez pas pour autant de la place. En effet, une base de données a tendance à augmenter régulièrement en taille. Le remède consiste à compacter la base de données. Vous serez surpris par la place économisée après une manipulation de compactage. Procédez ainsi :

1. Ouvrez la base de données à compacter. Choisissez la base *C07-Médiathèque02.accdb*.

2. Cliquez sur le bouton **Office**.

3. Cliquez sur la commande **Gérer**.

4. Dans le volet de gauche, activez la commande **Compacter une base de données**.

La procédure s'exécute automatiquement. La base de données est fermée puis elle s'ouvre de nouveau, quelques secondes voire quelques minutes plus tard, tout dépend de son importance. Si la base de données comporte peu d'éléments comme c'est le cas pour la base *Médiathèque*, vous ne vous apercevrez pas de sa fermeture.

> **astuce**
>
> **Compacter régulièrement vos bases de données**
>
> En effet, compacter une base de données réduit la taille occupée sur le disque dur et permet d'accélérer son fonctionnement.

7.4 Convertir une base de données

Il peut arriver que vous ayez besoin d'exécuter votre base de données avec une version antérieure d'Access. Aussi, il vous faudra convertir votre base actuelle en une version précédente. Procédez ainsi :

1. Ouvrez la base de données à convertir (*C07-Médiathèque02.accdb*) et assurez-vous qu'aucun objet n'est ouvert. Sinon, fermez-les.

2. Cliquez sur le bouton **Office**.

3. Cliquez sur le triangle noir, pointe dirigée vers la droite, de la commande **Enregistrer sous**.

4. Dans le menu, sélectionnez la commande correspondant au format souhaité. Choisissez par exemple la commande **Format de fichier Access 2002 - 2003**.

La boîte de dialogue **Convertir la base de données sous** apparaît.

5. Sélectionnez le dossier de sauvegarde et donnez un nom à cette base convertie. Nommez-la *Médiathèque2003*. Notez qu'Access a ajouté l'ancienne extension *.mdb* au nom du fichier. Cliquez sur le bouton **Enregistrer**.

À l'inverse, vous désirez consulter dans Access 2007 une base de données créée dans une précédente version. Dans ce cas, procédez ainsi :

1. Lancez Access 2007.

2. Ouvrez la base de données à convertir, par exemple *Médiathèque2003.mdb*.

3. Cliquez sur le bouton **Office**.

4. Cliquez sur la commande **Convertir**.

La boîte de dialogue **Convertir la base de données** apparaît.

5. Dans la boîte de dialogue **Convertir la base de données sous**, sélectionnez le dossier de sauvegarde et donnez un nom à cette base convertie. Nommez cette base *Médiathèque2007*. Notez qu'Access a modifié l'extension en *.accdb*. Cliquez sur le bouton **Enregistrer**.

6. Un message vous avertit que la base de données a été convertie dans la nouvelle version. Cliquez sur le bouton OK. Les objets de la base de données apparaissent immédiatement dans le volet de navigation.

7.5 Protéger une base de données

Créer une application sous Access demande beaucoup de temps et de rigueur. Aussi, vous n'avez pas envie que vos efforts soient anéantis par des utilisateurs négligents si vous la mettez à leur disposition. Peut-être souhaitez-vous également que certaines informations restent confidentiel-les. C'est pourquoi il est prudent de protéger une base de données.

Access offre plusieurs niveaux de sécurité. Vous pouvez :

- Attribuer un mot de passe à l'ouverture de la base de données.

- Enregistrer la base de données dans un nouveau format ayant pour extension *.accde* (voir page FichierMDE).

- Mettre en place une sécurité au niveau de l'utilisateur. Cela vous permet de créer des profils utilisateur et ainsi d'attribuer des droits particuliers à chaque utilisateur ou groupe d'utilisateurs. Chaque utilisateur dispose alors d'un nom d'utilisateur (ou login) et d'un mot de passe lui donnant accès à certaines parties du programme. Relati-vement complexe à mettre en œuvre, cette solution ne sera pas abordée dans ce livre.

La solution la plus simple est de définir un mot de passe se déclenchant à l'ouverture de la base de données. Dès que vous lancez l'application, une boîte de dialogue s'affiche, vous demandant de saisir obligatoirement le mot de passe. Bien sûr, seuls les utilisateurs munis de ce sésame pourront accéder aux informations stockées dans l'application.

L'inconvénient est que l'utilisateur a accès à tous les objets de la base en mode Création, Consultation et Saisie. Il faut donc distribuer ce mot de passe avec parcimonie.

Avant de mettre en œuvre la procédure de protection, pensez à réaliser une sauvegarde de votre base de données dans un endroit sûr. Pour attribuer un mot de passe à l'ouverture, procédez ainsi :

1. Lancez Access 2007.

2. Ouvrez la base de données souhaitée en mode Exclusif. Pour cela :

- Cliquez sur le bouton **Office**.

- Cliquez sur la commande **Ouvrir**. Sélectionnez la base de données à ouvrir (ici *C07-Médiathèque02.accdb*) et cliquez sur la flèche noire du bouton **Ouvrir** en bas à droite de la boîte de dialogue afin de dérouler la liste. Sélectionnez la commande **Ouvrir en exclusif**. En même temps, si nécessaire, maintenez la touche [Maj] enfoncée afin d'annuler l'exécution des commandes de démarrage.

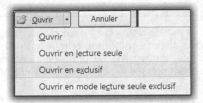

◄ Figure 7.5 :
*Ouvrir une base
de données en
mode Exclusif*

N'ouvrez aucun objet dans cette base.

3. Cliquez sur l'onglet **Outils de base de données**.

4. Dans le groupe *Outils de base de données*, cliquez sur le contrôle **Chiffrer avec mot de passe**.

5. Dans la boîte de dialogue **Définir le mot de passe de la base de données**, rubrique *Mot de passe*, saisissez le mot souhaité pour l'application, par exemple sésame (gardez volontairement l'accent sur le "e"). Dans la rubrique *Confirmation*, saisissez de nouveau sésame et cliquez sur le bouton OK pour valider la procédure.

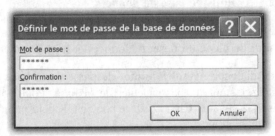

▲ Figure 7.6 : *Saisie du mot de passe*

Le mot de passe a été pris en compte. Il sera demandé à tout utilisateur de la base de données, dès la prochaine ouverture.

Règles à respecter

Quand vous saisissez le mot de passe, vous devez respecter la casse, c'est-à-dire la frappe en minuscules, majuscules et avec ou sans accents.

Ne perdez pas ce mot de passe car il n'existe pas de moyen simple mis à votre disposition pour le retrouver. Il est donc important de créer une sauvegarde au préalable. Cependant, votre sauvegarde ne contiendra pas les futurs ajouts, modifications ou suppressions de données.

7.6 Supprimer la protection d'une base de données

Si vous souhaitez supprimer le mot de passe à l'ouverture :

1. Ouvrez la base de données en mode Exclusif. N'oubliez pas, si nécessaire, de maintenir jusqu'à la fin de l'ouverture la touche [Maj] enfoncée, afin d'annuler l'exécution des commandes de démarrage.

2. Saisissez le mot de passe demandé.

3. Cliquez sur l'onglet **Outils de base de données**.

4. Dans le groupe *Outils de base de données*, cliquez sur le contrôle **Supprimer le mot de passe de base de données et le chiffrement**.

5. Dans la boîte de dialogue **Annuler le mot de passe de la base de données**, saisissez le mot de passe actuel de la base. Pour votre application, saisissez sésame. Cliquez sur le bouton OK pour prendre en compte cette annulation.

À la prochaine ouverture, aucun mot de passe ne vous sera demandé.

Modifier un mot de passe

Commencez par supprimer le mot de passe en suivant la procédure énoncée et protégez de nouveau la base de données en saisissant le mot de passe désiré.

7.7 Créer un fichier ACCDE

Si vous souhaitez distribuer votre application sans que les utilisateurs aient accès au code VBA ou encore aux formulaires et états en mode Création, vous pourrez créer un fichier portant l'extension *.accde* et non *.accdb*. C'est l'équivalent du fichier *.mde* des anciennes versions Access. En créant un fichier *.accde*, le code VBA, s'il existe, est compilé et éliminé du code source. Ce code, s'il est toujours exécuté, n'est plus visible ni modifiable par les utilisateurs de la base de données. Lors de cette conversion de *.accdb* en *.accde*, la base est en plus compactée. Toutes ces opérations libèrent de la place en mémoire et accélèrent ainsi les différentes manipulations à venir.

Voici quelques manipulations non exhaustives qui ne pourront plus être effectuées sur une base enregistrée en fichier *.accde* :

- Afficher, modifier ou créer des formulaires, des états ou des modules en mode Création.
- Importer ou exporter des formulaires, des états ou des modules.

En revanche, il reste possible d'afficher, de modifier, de supprimer, d'importer ou d'exporter des tables, des requêtes ou des macros. C'est pourquoi il est prudent de réaliser un fractionnement avant de créer un fichier *.accde*. Un fractionnement consiste à dissocier la base de données en deux bases de données, l'une contenant toutes les tables de la base d'origine et l'autre contenant tous les autres objets.

Avant de réaliser un fichier *.accde*, pensez à sauvegarder la base de données au format *.accdb*, dans un coin de votre disque dur, en sécurité. Elle servira ultérieurement si vous souhaitez effectuer des modifications sur les formulaires ou les états.

Passons à la réalisation concrète du fichier *.accde*.

1. Ouvrez la base de données (format Access 2007) à convertir en *.accde*. Choisissez la base *C07-Médiathèque02.accdb*. Si nécessaire, n'oubliez pas de maintenir jusqu'à la fin de l'ouverture la touche [Maj] enfoncée, afin d'annuler l'exécution des commandes de démarrage.

2. Sélectionnez l'onglet **Outils de base de données**.

3. Dans le groupe *Outils de base de données*, cliquez sur le contrôle **Créer ACCDE**.

4. Dans la boîte de dialogue **Enregistrer sous**, sélectionnez le dossier de sauvegarde et donnez un nom à cette base. Sauvegardez par exemple dans le dossier *C:\Access 2007\Médiathèque* et donnez le nom de *MédiathèqueACCDE*. Puis cliquez sur le bouton de commande **Enregistrer**.

5. Fermez la base de données en cours et ouvrez le fichier *.accde* pour contrôler le bon fonctionnement de la procédure.

Si nécessaire, pensez à activer le contenu de la base de données.

8

Access
et les autres
applications
Office

Access peut échanger des informations avec d'autres programmes et plus particulièrement avec les autres logiciels de la gamme Office tels qu'Excel ou Word. Vous pouvez transférer des données chiffrées dans Excel afin de les analyser avec des outils adaptés aux formules de calcul. Access vous permet également d'exporter des informations vers Word afin de les exploiter avec un traitement de texte. Ou encore, il est possible de créer un publipostage entre Word et Access. Avec le logiciel Word, vous créez la lettre type, des étiquettes ou des enveloppes et utilisez Access comme source de vos données.

Afin de réaliser les exemples de cet apprentissage, la base de données *C08-Médiathèque01.accdb* est nécessaire. Toutes les manipulations de ce chapitre sont sauvegardées dans la base de données *C08-Médiathèque02.accdb*. Aussi, nous vous conseillons de télécharger ces bases de données sur notre site, à l'adresse `www.microapp.com`.

8.1 Exporter des données vers Excel

La fonctionnalité première d'Access n'étant pas d'effectuer des calculs complexes, utilisez plutôt Excel pour réaliser des simulations ou des calculs élaborés à partir de données provenant d'Access. En effet, Access vous permet de transférer vers une feuille de calcul Excel des données issues des tables, requêtes ou formulaires. La majeure partie de la mise en forme est également conservée dans la feuille de calcul.

Exportez la requête *R_ListeMediasParGenre*. Pour cela :

1. Faites un clic du bouton droit sur l'objet à exporter. Pour l'exemple, cliquez du bouton droit sur la requête *R_ListeMediasParGenre*.

2. Activez la commande **Exporter** puis la sous-commande **Excel**.

   La boîte de dialogue **Exportation - Feuille de calcul Excel** s'affiche.

3. Cliquez sur le bouton **Parcourir** afin de choisir le dossier de sauvegarde et d'attribuer un nom au fichier Excel. Cliquez sur le bouton de commande **Enregistrer**.

4. Dans la rubrique *Format de fichier*, sélectionnez le format correspondant à la version d'Excel souhaitée.

5. Cochez éventuellement une ou plusieurs options d'exportation. Puis cliquez sur OK.

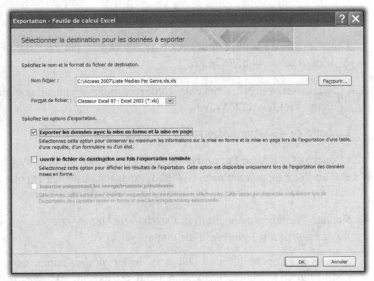

▲ Figure 8.1 : *Renseignements nécessaires à l'export vers Excel*

Si vous avez coché l'option *Ouvrir le fichier de destination une fois l'exportation terminée*, le logiciel Excel est exécuté et la requête sélectionnée est intégrée dans une feuille de calcul.

Si vous avez déjà exporté un objet portant le même nom, Access vous indique que le document existe déjà et vous demande si vous souhaitez le supprimer pour le remplacer par la nouvelle version. Acceptez en cliquant sur le bouton **Oui**. En revanche, si vous souhaitez conserver la version antérieure, cliquez sur le bouton **Non**. Dans ce cas, Access déclenche une boîte de dialogue vous permettant de choisir le lieu de stockage ainsi que le nom à attribuer au fichier.

6. Dans la boîte de dialogue proposant d'enregistrer les étapes d'exportation, cliquez sur le bouton **Fermer**.

8.2   Exporter des données vers Word

Avec Access, vous pouvez exporter très rapidement le contenu d'une table, d'une requête, d'un formulaire ou d'un état vers Word afin de le mettre en forme plus aisément.

Vous allez exporter l'état *E_MediasParSupportEtGenre*. Pour cela :

1. Faites un clic du bouton droit sur l'objet à exporter, par exemple l'état *E_MediasParSupportEtGenre*.

2. Activez la commande **Exporter** puis la sous-commande **Fichier RTF Word**.

La boîte de dialogue **Exportation - Fichier RTF** s'affiche.

3. Cliquez sur le bouton **Parcourir** afin de choisir le dossier de sauvegarde et d'attribuer un nom au fichier Word. L'extension du fichier exporté est toujours *.rtf*. Cliquez sur le bouton de commande **Enregistrer**.

4. Cochez éventuellement l'option *Ouvrir le fichier de destination une fois l'exportation terminée*. Puis cliquez sur OK.

Si vous avez coché l'option *Ouvrir le fichier de destination une fois l'exportation terminée*, le logiciel Word est exécuté et l'état sélectionné est transformé en document Word.

De même que précédemment, si vous avez déjà exporté cet objet, Access indique que le document existe déjà et vous demande si vous souhaitez le supprimer pour le remplacer par la nouvelle version. Acceptez en cliquant sur le bouton **Oui**. Cliquer sur le bouton **Non** déclenche une boîte de dialogue vous permettant de choisir le lieu de stockage ainsi que le nom à attribuer au fichier.

5. Dans la boîte de dialogue proposant d'enregistrer les étapes d'exportation, cliquez sur le bouton **Fermer**.

Vous avez dû constater que les contrôles graphiques tels les traits ou les images n'étaient pas exportés. Le texte avec la mise en forme des caractères ainsi que l'orientation (portrait ou paysage) et les marges sont conservés.

Si vous exportez une table, une requête ou un formulaire, les données exportées sont transférées directement dans un tableau Word.

8.3 Créer un publipostage avec Word

Dans le domaine des échanges de données, le publipostage entre Word et Access est une des fonctionnalités les plus utiles. Une lettre type créée sous Word peut être fusionnée avec des données provenant d'une table ou d'une requête Access. Les données ne peuvent provenir de formulaires ou d'états puisque ces objets ne sont finalement que des masques utiles à la saisie ou à l'édition d'informations.

Vous allez concevoir un courrier pour réclamer à vos amis la restitution des livres qu'ils vous ont empruntés. Au préalable, effectuez la requête regroupant toutes les informations nécessaires à la réalisation de cette lettre.

Basez la nouvelle requête sur les tables *T_Amis*, *T_Emprunts*, *T_Medias*, *T_Supports* et *T_Auteurs*. Sélectionnez les champs :

- *PrenomAmi*, *NomAmi*, *RueAmi*, *CPAmi* et *VilleAmi* de la table *T_Amis*.
- *DateEmprunt* et *DateRetour* de la table *T_Emprunts*.
- *TitreMediaLivre* de la table *T_Medias*.
- *IntituleSupport* de la table *T_Supports*.
- *NomAuteur* et *PrenomAuteur* de la table *T_Auteurs*.

Apportez les modifications suivantes à la requête :

- Posez le critère *EstNull* sur le champ *DateRetour*.
- Procédez à un tri croissant sur *NomAmi* et *TitreMedia*.
- Afin de préserver l'affichage de la date dans un format français (jour/mois/année), modifiez le champ *DateEmprunt* de la façon suivante : `Emprunt: Format([DateEmprunt];"jj/mm/aaaa")`.

  Si vous ne faites pas cette manipulation, Word affichera la date au format américain (mois/jour/année).

- Enregistrez la requête sous le nom *R_LettreEmprunts*.

Pour réaliser un publipostage entre Word et Access, suivez ces étapes :

1. Cliquez avec le bouton droit sur la table ou sur la requête qui fournira les données à fusionner avec la lettre type réalisée dans Word. Pour l'exemple, faites un clic du bouton droit sur la requête *R_LettreEmprunts*.

2. 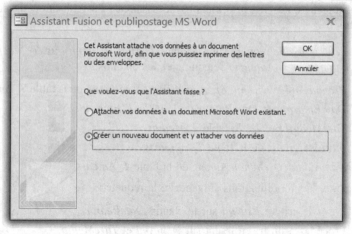 Activez la commande **Exporter** puis la sous-commande **Fusion avec Microsoft Office Word**.

3. L'Assistant Fusion et publipostage MS Word se déclenche. Cette boîte de dialogue vous propose de choisir entre fusionner les données issues de la requête avec un document Word existant ou avec un nouveau document. Pour l'exemple, cochez l'option *Créer un nouveau document et y attacher vos données*. Cliquez sur le bouton OK.

▲ Figure 8.2 : *Assistant Fusion et publipostage MS Word*

Le logiciel Microsoft Word 2007 est exécuté et un nouveau document est chargé, prêt à réaliser la procédure de publipostage.

4. Saisissez le contenu de la lettre à envoyer lors de vos réclamations en insérant, au fur et à mesure, les champs de fusion.

Pour insérer un champ de fusion, procédez ainsi :

– Positionnez le curseur à l'endroit où vous désirez insérer le champ de fusion dans la lettre.
– Dans l'onglet **Publipostage**, déroulez la liste des champs disponibles en cliquant sur le contrôle **Insérer un champ de fusion** du groupe *Champs d'écriture et d'insertion*.

◄ Figure 8.3 :
Liste des champs de la requête dans Word

– Cliquez sur le champ souhaité.
N'oubliez pas d'enregistrer cette lettre type car vous aurez sûrement besoin de l'exécuter de temps en temps. Saisissez la lettre présentée ci-après et nommez-la *Réclamation emprunts*.

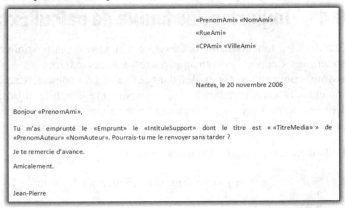

▲ Figure 8.4 : *Lettre à reproduire nommée Réclamation emprunts*

5. Effectuez la mise en forme du courrier.

6. Exécutez la fusion de la lettre type avec les données dans un nouveau document :

– En cliquant sur le contrôle **Terminer & fusionner** du groupe *Terminer*.

– Puis en activant la commande **Modifier des documents individuels**.

7. Éventuellement, imprimez le résultat obtenu, puis fermez la fenêtre contenant les lettres fusionnées sans l'enregistrer car vous pourrez, à tout moment, réaliser de nouveau la fusion.

8. Enregistrez le cas échéant la lettre type et quittez Word afin de revenir dans Access.

Désormais, votre lettre type étant créée, quand vous exécuterez l'Assistant Fusion et publipostage MS Word à partir d'Access, vous choisirez l'option *Attacher vos données à un document Microsoft Word existant* dans la première étape de l'assistant. Vous devrez ensuite sélectionner l'endroit et le nom du fichier souhaité puis fusionner la lettre type avec les données. La mise à jour des emprunts sera automatiquement effectuée.

8.4 Importer une feuille de calcul Excel

Une dernière fonctionnalité intéressante d'Access est la possibilité d'importer des données provenant d'autres sources extérieures à Access. Voyons comment importer des données issues du logiciel Excel. Pour appréhender cette commande, créez vous-même une liste structurée de données sous Excel ou téléchargez sur notre site, à l'adresse www .microapp.com, le fichier *Amis.xls*. Effectuez les étapes suivantes :

1. Sélectionnez l'onglet **Données externes**.

2. Dans le groupe *Importer*, cliquez sur le contrôle **Excel**.

La boîte de dialogue **Données externes - Feuille de calcul Excel** s'affiche.

3. Cliquez sur le bouton **Parcourir** afin de localiser le classeur à importer. Une fois le classeur Excel (*Ami.xls* pour notre exemple) sélectionné dans la boîte de dialogue **Ouvrir**, cliquez sur le bouton de commande **Ouvrir**.

4. Sélectionnez l'option correspondant au type de stockage souhaité dans la base de données. Pour notre exemple, conservez la première option cochée *Importer les données source dans une nouvelle table de la base de données active*. Puis cliquez sur le bouton OK.

> **Importer des enregistrements dans une table existante**
>
> Si vous choisissez d'ajouter les enregistrements dans une table existante, il faut alors que les champs importés soient compatibles avec les champs de la table créée. C'est donc une opération qui n'est pas une réussite garantie, sauf si tous les contrôles ont été effectués au préalable.

5. À l'étape suivante, choisissez la feuille de calcul ou la plage de données nommée à importer. Conservez les options proposées, soit *Afficher les feuilles de données* et *Amis*. Cliquez sur le bouton **Suivant**.

6. Dans cette étape, Access vous demande si la première ligne de votre feuille de calcul contient les noms de champs à utiliser dans la table. Dans la plupart des cas, il convient de cocher cette option. Puis cliquez sur le bouton **Suivant**.

7. À la quatrième étape, dans la rubrique *Options des champs*, vous pouvez modifier le nom, l'indexage et le type de données de chaque champ en cliquant successivement sur chaque colonne dont vous souhaitez changer les propriétés. Il est également possible de ne pas importer un champ. Dans ce cas, cliquez sur la colonne du champ à omettre et cochez la case *Ne pas importer le champ (sauter)*. Modifiez le type de données du champ *CPAmi* de *Réel double* en *Texte*. En effet, un code postal doit toujours être de type *Texte*. Puis cliquez sur le bouton **Suivant**.

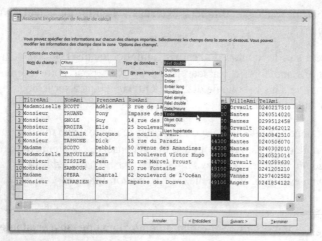

▲ Figure 8.5 : *Modifier les options des champs*

8. Dans cette avant-dernière étape, Access vous demande d'appliquer ou non une clé primaire. Trois cas de figure sont proposés :

– Un numéro automatique, ce qui signifie que l'utilisateur n'aura pas à remplir ce champ, un numéro séquentiel se créant à chaque nouvel enregistrement. Conservez cette option pour votre exemple.

– Sélection d'un champ existant susceptible de porter la clé primaire.

– Ne pas définir de clé primaire pour le moment.

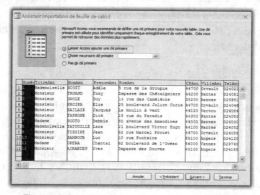

▲ Figure 8.6 : *Définition de la clé primaire*

9. Cliquez sur le bouton **Suivant**.

10. Acceptez le nom proposé pour cette nouvelle table ou choisissez-en un autre. Nommez cette table *T_AmisBis* puisqu'il existe déjà une table *T_Amis*. Cliquez sur le bouton **Terminer**.

11. Une fois la table créée, Access affiche un message indiquant la fin de l'importation et vous propose d'enregistrer les étapes d'importation. Cliquez sur le bouton **Fermer**.

9

Index

A

B

C

D

F

G

I

L

M

N

O

P

R

S

T

V

Z

Notes

Notes

Composé en France par Jouve

11, bd de Sébastopol - 75001 Paris

Achevé d'imprimer en ALLEMAGNE
Par l'imprimerie Clausen & Bosse
25917 Leck, Avril 2007